Disegni veneti della collezione Lugt

Catalogo della Mostra a cura di
James Byam Shaw

Presentazione di Rodolfo Pallucchini
Introduzione di Carlos van Hasselt

Neri Pozza Editore
1981

Traduzione di Tessie Doria de Zuliani
Prima edizione: luglio 1981

Stampato in Italia - Printed in Italy

La Grafica & Stampa s.r.l. - Vicenza

Cataloghi di Mostre
44

FONDAZIONE GIORGIO CINI
CENTRO DI CULTURA E CIVILTÀ
Istituto di Storia dell'Arte

SAN GIORGIO MAGGIORE
VENEZIA

Presentazione

Siamo grati alla Fondazione Custodia di Parigi per aver concesso il prestito di 114 disegni di scuola veneta, che fanno parte dei tesori d'arte raccolti dal suo fondatore Frits Lugt, all'Istituto di Storia dell'arte della Fondazione Giorgio Cini.

Dopo la mostra di disegni delle collezioni inglesi dell'autunno scorso era necessario continuare la tradizione delle esposizioni dedicate alla grafica veneta, iniziata da Giuseppe Fiocco nel 1955, con manifestazioni dello stesso livello. Propizia è stata quindi la possibilità di avere questa mostra — da lungo tempo auspicata — e va cordialmente ringraziato il Direttore della Fondazione Custodia, Carlos van Hasselt che, con Alessandro Bettagno, ha condotto in porto questa impresa che permette di presentare al pubblico italiano (e anche internazionale che frequenta Venezia) una così preziosa raccolta di grafica disegnativa veneta, nota agli studiosi di tutto il mondo. La Fondazione Custodia ha voluto inoltre fare un gesto di particolare amicizia verso la Fondazione Giorgio Cini, aggiungendo ai disegni un gruppo di una ventina di lettere autografe (da Tiziano al Canova) e il dipinto di Francesco Guardi rappresentante l'Isola di San Giorgio Maggiore.

Già in passato, in una delle prime mostre di San Giorgio, James Byam Shaw aveva dato il suo prezioso contributo preparando la parte guardesca del catalogo Canaletto e Guardi, *che ebbe un così notevole successo nell'estate del 1962. Ancora una volta, in questo catalogo, l'autorevole conoscitore inglese del disegno veneziano ci offre, con la sua densa dottrina, quella precisa informazione che tutti hanno sempre ammirato. È questa solo una parte di quella splendida fatica che vedrà la luce quando — in un prossimo futuro — l'intero catalogo dei disegni italiani verrà pubblicato dalla Fondazione Custodia.*

Mi sia permesso un ricordo personale. Nel settembre del 1964 ero a Varsavia con mia moglie Anna per il convegno di studi promosso in occasione della mostra di Bernardo Bellotto, organizzata dall'indimenticabile Stefan Kozakiewicz. In un ricevimento al castello di Wilanow fummo presentati a Frits Lugt ed alla signora Jacoba, allora di ritorno da un viaggio in Russia, dove credo si fosse recato alla ricerca di opere della sua collezione andate disperse durante l'ultima guerra. È ancora viva in me l'impressione che mi fece quel vecchio «gentleman» dal tipo anglosassone, allora sugli ottanta, cosí compito eppure cosí affabile nella conversazione. Il discorso cadde su Francesco Guardi, di cui avevo parlato il mattino illustrandone gli aspetti vedutistici. Mi sorprese la conoscenza che ne aveva il mio interlocutore.

La sua personalità di studioso e di collezionista mi aveva sempre affascinato ed incuriosito: ero quindi lieto di averne fatta la conoscenza personale che mi permetteva un contatto diretto.

Lugt era l'autore di un'opera di erudizione ma al tempo cosí densa di interessi sociologici, come le Marques de Collections des dessins et d'estampes, *uscita ad Amsterdam nel 1921, il cui supplemento del 1956 costituisce praticamente il secondo volume. Un'opera — come ha osservato il Sutton (1976) — che dà un approfondimento quasi completo sul mondo del collezionismo elevandolo a valore di autentica storia della cultura.*

Non meno importanti furono i Répertoires des catalogues de ventes, 1600-1900, *usciti in tre volumi all'Aja nel 1938: il quarto volume, che registra le vendite di questo primo quarto di secolo è in corso di stampa.*

*Fin dagli inizi della sua carriera di studioso indipendente, il Lugt si è occupato dei pittori olandesi e di quelli fiamminghi, con cataloghi di mostre (risale al 1903 quello rivelatore di van Goyen), articoli (significativi quelli sui rapporti tra Rubens e Bruegel e l'Italia) sempre piú specializzandosi nello studio della grafica dei maestri neerlandesi. La pubblicazione dell'*Inventaire des dessins des Ecoles du Nord.., *in piú volumi (1929-33) ha messo in evidenza le qualità di profondo conoscitore del Lugt in questo campo.*

Significativa la professione di fede — cosí la chiama René Huyghe nell'appassionata commemorazione del Lugt tenuta all'Institut Néerlandais nel 1970 — che si ricava da un passo della sua lettera: «Lorsque, contemplant une oeuvre d'art, on a eu le sentiment de se trouver en compagnie du maître, de le regarder au fond des yeux, alors je crois, le premier pas a été fait sur la route au bout de la quelle on devient un connaisseur». Questa fu l'aspirazione che coltivò Frits Lugt: realizzarsi come conoscitore dell'opera d'arte, un conoscitore-collezionista che ne

VIII

sente il possesso spirituale e fisico come lo scopo principale della sua esistenza, che ne fruisce non in modo egoistico, ma favorendone la conservazione e la contemplazione anche per gli altri. Non solo quindi erudito e conoscitore, ma anche collezionista: in questo senso Frits Lugt fu uno dei collezionisti piú illuminati del secolo. Egli incominciò fin da ragazzo a raccogliere: man mano il suo istinto di collezionista non solo si affinò, ma poté realizzarsi in pieno con i mezzi di fortuna che aveva ereditato la moglie Jacoba. Basta sfogliare il fascicolo edito da «Apollo» nel 1976 dedicato ai Treasures from the Collections of Frits Lugt at the Institut Néerlandais, Paris, per rendersi conto non solo della quantità di prodotti artistici raccolti dallo studioso olandese durante la sua lunga esistenza: da vasi etruschi a sculture egiziane, da dipinti di scuola neerlandese a ritratti in miniatura da Holbein a Jean-Baptiste Augustin, a miniature persiane ai tesori di grafica. Si può dire che fu la grafica ad affascinare soprattutto il Lugt, facendone quel conoscitore forse unico nel campo neerlandese: egli raccolse circa seimila disegni per la maggior parte olandesi e fiamminghi (solo di Rembrandt trenta fogli) e circa trentamila stampe (tra le quali la serie completa delle acqueforti di Rembrandt) ecc.

Mentre prima dell'ultima guerra il Lugt era vissuto all'Aja in una casa settecentesca di fronte al Mauritshuis, poi si trasferí a Parigi, acquistando nel 1953 un palazzo in rue de Lille, che era appartenuto nel Settecento all'enciclopedista Turgot, nel quale sistemò le sue collezioni. Nel 1957 il Lugt realizza la sua aspirazione di fare delle sue raccolte d'arte un centro permanente di studio, uno strumento di ricerca, creando la Fondazione Custodia, dal titolo significativo, che assume contemporaneamente la funzione di Institut Néerlandais.

Legato profondamente alla civiltà artistica olandese, il Lugt comprese la funzione supernazionale di un centro culturale come Parigi. Il ruolo che egli venne svolgendo nella capitale francese fu quello di ambasciatore privilegiato della cultura neerlandese non soltanto con l'attività promozionale dell'Istituto, ma con la prodigiosa ricchezza di «exempla» artistici legati alla sua terra, messi assieme in anni di appassionata ricerca. Dopo la sua scomparsa avvenuta nel 1970, la Fondazione Custodia, per merito del suo direttore van Hasselt, ha continuato non solo l'attività culturale ma anche la politica di acquisti voluta dal suo fondatore.

Come accenna Byam Shaw nella sua Introduzione, non mancano

nella collezione grafica della Fondazione Custodia disegni di scuola italiana di primaria importanza: tra questi il gruppo di 114 fogli veneziani oggi presentati alla Fondazione Cini con il commento di Byam Shaw.

Di eccezionale importanza i dieci disegni di Stefano da Verona (il maggior numero esistente in una collezione), ai quali se ne aggiungono altri della cerchia e uno di Pisanello. I disegni di Stefano da Zevio indicano l'alto potenziale di stile di tale rappresentante del gotico internazionale nella sua accezione veronese.

Non mancano fogli di Andrea Mantegna, di Giovanni Bellini, di Vittore Carpaccio (ben tre) e di Alvise Vivarini, cioè i rappresentanti del Quattrocento veneziano: e del Cinquecento sono presenti esempi di Jacopo e Leandro Bassano, Jacopo e Domenico Tintoretto.

È esposto anche lo «Sketchbook» tascabile (così l'ha definito Byam Shaw presentandolo in «Arte Veneta» qualche anno fa), sulle cui 48 pagine Palma il giovane ha annotato schizzi d'ogni genere, tra l'altro ritratti anche di artisti contemporanei: un raro documento che comprova l'urgenza di esprimersi del pittore veneziano. Del tardomanierismo provinciale veneto pure notevole il gruppo di fogli di Alessandro Maganza.

Particolarmente nutrita la schiera dei settecentisti per qualità e varietà di nomi: su tutti si impongono i dodici fogli di Giambattista Tiepolo, alcuni dei quali autentici capolavori.

La mostra dei disegni veneti della Fondazione Custodia a San Giorgio Maggiore rende omaggio alla sensibilità del suo raccoglitore, che, come ha notato Denys Sutton, fu tra i primi ad evocare la parentela tra Amsterdam e Venezia. Questa stupenda raccolta di disegni ne è la testimonianza più viva.

RODOLFO PALLUCCHINI
Direttore dell'Istituto di Storia dell'arte

S. Giorgio Maggiore, 15 giugno 1981

X

Introduzione

A questa mostra Alessandro Bettagno ed io pensavamo da molti anni, ma se essa oggi è divenuta una realtà lo si deve anche al fatto che la Fondazione Custodia — nel quadro di una serie di iniziative di notevole impegno — intende ora rendere piú accessibile al grande pubblico il suo patrimonio d'arte.

Poco dopo la scomparsa dei fondatori — Frits Lugt e Jacoba Lugt-Klever (1969 e 1970) — venne deciso di procedere alla pubblicazione di inventari completi delle loro raccolte, sotto forma di *catalogues raisonnés* o di cataloghi di mostre. L'impresa si è rivelata tutt'altro che facile. Frits Lugt, infatti, aveva raccolto, nella sua lunga vita, una documentazione vastissima sulle opere d'arte conservate in altre collezioni, pubbliche e private — materiale confluito poi, ad esempio, nei suoi cataloghi dei disegni nordeuropei di proprietà di pubbliche istituzioni parigine — ma non si era mai preoccupato di fare altrettanto per la sua raccolta. Tutte le preziose informazioni che aveva accumulato nella sua memoria sono cosí scomparse con lui.

In alcuni casi si è rivelato impossibile, per la piccola *équipe* di cui può disporre oggi la Fondazione Custodia, eseguire una corretta catalogazione delle quasi 90.000 opere d'arte raccolte dai Lugt — dipinti, incunaboli e legature, preziose cornici, lettere autografe, porcellane, miniature indiane ed europee, ma soprattutto un'eccezionale collezione di disegni e stampe di rinomanza mondiale — e si è preferito quindi affidare determinate sezioni a studiosi tra i piú qualificati in ogni singolo campo.

Per nostra straordinaria fortuna, James Byam Shaw ha accettato di catalogare il settore dei disegni italiani, in tutto circa cinquecento opere. Il lavoro, iniziato cinque anni fa, è ora virtualmente compiuto e il catalogo sarà probabilmente pubblicato nella primavera prossima. La stretta collaborazione con l'autore ci ha permesso di apprezzarne appieno la grande cultura, i saggi consigli, lo stile perfetto, eppure cosí personale; e questi cinque anni hanno offerto un'occasione davvero unica a chi ha avuto la fortuna di lavorare con lui. Molte settimane sono cosí felicemente trascorse, prima a Parigi e poi a Londra, dove la proverbiale ospitalità di Christina Byam Shaw ha contribuito a rendere ancora piú piacevoli questi appuntamenti di lavoro.

Grazie alla generosità della Fondazione Giorgio Cini, siamo ora in grado di presentare, nella sua quasi totalità, la sezione veneta della nostra raccolta di disegni italiani con un catalogo le cui schede critiche sono state preparate da James Byam Shaw per il suo definitivo *catalogue raisonné*, anche se qui esse appaiono in una forma leggermente ridotta. Alla mostra è presente anche l'unico dipinto veneziano di Frits Lugt — una tela di Francesco Guardi, in cornice originale, che raffigura, molto opportunamente, l'isola di S. Giorgio — e circa venticinque lettere autografe di artisti veneti: una piccola scelta della grande collezione messa insieme dal Lugt in questo particolare campo.

I *Trustees* (e il Direttore) della Fondazione Custodia — creata dai Lugt per mantenere unite e vitali le loro collezioni in una sede adatta, prima all'Aja e dal 1953 a Parigi nell'Institut Néerlandais — sono particolarmente lieti che una parte dei loro tesori sia ora ospite di un'istituzione che opera in un campo tanto simile e alla luce degli stessi ideali.

Molti hanno contribuito, in vario modo, alla preparazione del catalogo e alla realizzazione della mostra. James Byam Shaw ha potuto contare sulle informazioni fornitegli da molti amici e colleghi, e soprattutto da Philip Pouncey e John Gere. Altri studiosi, citati nel catalogo, hanno fornito ragguagli preziosi in casi specifici. È doveroso ricordare in particolar modo Elizabeth Llewellyn, Adrian Eeles, Wynne Jeudwine, Francis Russell e Julien Stock per le accurate informazioni concernenti alcune delle provenienze e per l'aiuto offerto nelle occasioni piú varie. Un analogo ringraziamento è dovuto anche a Meile Haga e Peter Schatborn del Rijksprentenkabinet di Amsterdam e ad An Zwollo del Rijksbureau voor Kunsthistorische Documentatie dell'Aja.

Durante la preparazione del catalogo abbiamo sempre potuto contare, per aiuto e consiglio, sulla cortesia di Rupert Hodge della Witt Library al Courtauld Institute of Art.

XII

A Parigi, le amiche fedeli della Fondazione Custodia — Mària van Berge-Gerbaud, Anne van der Jagt, Marie-Louise van der Pol — hanno curato il dattiloscritto e la bibliografia, mentre il nostro restauratore, Carlo James, ha preparato i disegni, rimontandoli tutti, per la mostra veneziana. Jean-Pierre Caron ha eseguito nuove fotografie di quasi tutte le opere, mentre gli accorgimenti tecnici per il trasporto sono stati affidati alle abili mani di Guy de Gramont, della Ditta André Chenue.

Ma è soprattutto ai colleghi veneziani che va la nostra piú viva gratitudine. A Tessie Doria de Zuliani per la traduzione del testo inglese e gli indici; a Mirko Cattaruzza che ha curato, con l'aiuto del nostro restauratore, Carlo James, l'allestimento della mostra; a Silvano De Tuoni che ha prestato la sua opera, con efficienza e capacità, in tutte le fasi della preparazione della mostra e dei testi. Un ringraziamento particolare a Neri Pozza per l'impegno col quale ha curato l'edizione di questo catalogo, che si aggiunge alla splendida e lunga serie che i suoi amici e ammiratori hanno imparato a collezionare con entusiasmo.

Piú di venticinque anni di amicizia e di reciproca stima legano insieme la Fondazione Giorgio Cini e la Fondazione Custodia: due Istituzioni nate quasi nello stesso momento per volontà di due straordinarie personalità, motivate da finalità molto simili e animate dalla stessa passione.

Lo stesso sentimento di amicizia lega anche, ormai da molti anni, i conservatori delle due collezioni. Non mancano le occasioni per venire a Venezia e subirne il fascino; nel mio caso, però — e so bene di non essere il solo — tali occasioni si fanno sempre piú frequenti anche perché so di poter contare sull'ospitalità calorosa e la gentilezza con le quali Alessandro Bettagno accoglie sempre gli amici. Ed è questa amicizia che mi rende ancor piú lieto nel vedere felicemente realizzata la nostra comune iniziativa, tanto lungamente meditata.

CARLOS VAN HASSELT

Parigi, giugno 1981

Frits Lugt
1884-1970

Molti lo ricordano per il suo *Marques de Collections*, un testo prezioso e ineguagliabile, o come l'autore dei cataloghi di disegni delle scuole nordeuropee del Louvre e di altri musei parigini, ma forse Frits Lugt fu soprattutto un collezionista, con una competenza davvero unica nel campo della grafica fiamminga e olandese, in particolare del Seicento. Non pretese mai di conoscere altrettanto bene i disegni italiani: scrisse molto poco sull'argomento e non li collezionò con il metodo rigoroso da lui usato nella raccolta e nella catalogazione delle opere dei maestri dei Paesi Bassi. Quanto agli italiani, preferiva acquistare ciò che colpiva la sua fantasia, senza curarsi troppo delle attribuzioni, piú o meno suggestive. Era, essenzialmente, un grande conoscitore, un autentico esperto. Sebbene avesse molti amici tra gli storici dell'arte, diffidava, in linea di massima, della cultura accademica e rifiutò due volte le lauree *ad honorem* offertegli dalle Università olandesi.

Proprio perché gli erano tanto familiari i disegni olandesi del Seicento − facilmente identificabili per la presenza di firme e di caratteristiche grafiche individuali − si rendeva ben conto di quanto piú raro fosse il poter contare su analoghi criteri nel settore della grafica italiana, e dubitava della capacità dei moderni autori di risolvere correttamente i problemi attributivi. Preferiva quindi, in questo non facile campo, attenersi a dei criteri qualitativi come sola guida sicura per il collezionista. Mi disse un giorno − circa dodici anni prima di morire − di sapere che i suoi disegni italiani non erano all'altezza di quelli del nord Europa. A quel punto della sua carriera, non gli sarebbe certamente stato facile procurarsi dei disegni italiani in grado di competere con i suoi splendidi Rembrandt, Rubens o Watteau; ma era deciso a migliorare questo settore della sua raccolta ed effettivamente riuscí − negli ultimi anni della sua vita − ad acquistare da privati o nelle sale d'asta londinesi alcuni fogli italiani di grande qualità (e molto costosi), come il bellissimo studio d'alberi del

Barocci – proveniente dalla vendita Skippe del 1958 – o la splendida testa di Lorenzo di Credi, dalla collezione di Sir Michael Wright. Ma la grande *chance* della sua vita, per quel che riguarda gli italiani, la aveva già avuta nel 1923, quando comperò da Luigi Grassi un notevole gruppo di disegni di Stefano da Verona e di altri maestri (soprattutto del nord Italia), provenienti da un'antica collezione veronese. Per poter conservare per sé alcuni degli esemplari piú belli, dovette per forza privarsi della maggior parte degli altri: alcuni passarono all'Albertina di Vienna, altri nella collezione Koenigs di Haarlem (e si trovano ora, in gran parte, nel Museo Boymans-van Beuningen di Rotterdam); altri ancora, messi in vendita a Londra, da Sotheby's, nel 1924, vennero acquistati per conto di Robert Lehman che li lasciò poi al Metropolitan Museum di New York. Ma quelli che egli tenne per sé sono quasi tutti presenti alla mostra (nn. 1-2; 4-10; 14; 17-20; 29-31; 42) e il visitatore non potrà non apprezzarne la rarità e l'importanza. Lugt deve aver spesso rimpianto di non aver potuto conservarne di piú, ma i suoi mezzi, a quel tempo, erano limitati. Nel 1910 aveva sposato Jacoba Klever, che condivise sempre, con vero entusiasmo, i suoi interessi, e il matrimonio aveva accresciuto le sue disponibilità finanziarie. Fu però solo dopo il 1935 – quando la moglie ereditò dal padre una grande fortuna – che Lugt poté permettersi, con l'aiuto di lei, di pagare somme davvero considerevoli per le opere d'arte che ambedue i coniugi desideravano aggiungere alla loro collezione.

Nel frattempo, però, era riuscito a procurarsi (a prezzi a lui accessibili) qualche altro bel disegno veneto, frequentando le sale d'asta e le ditte specializzate, con occhi allenati dal lungo tirocinio presso Frederik Muller e Co., la famosa casa d'aste di Amsterdam dove era entrato nel 1901, a soli diciassette anni, per rimanervi poi – come socio e autore di gran parte dei cataloghi – fino al 1915. Il *Miracolo del neonato* di Tiziano (n. 36) – molto discusso in passato, ma ritenuto ora dalla maggior parte degli esperti il modello originale dell'affresco della Scuola del Santo di Padova – venne da lui acquistato nel 1924. Lo splendido libretto di disegni di Palma il Giovane (n. 55) – con la sua chiusura metallica e la legatura originale – testimonia dell'interesse del collezionista anche per le tecniche e i materiali artistici (in gioventú Lugt fu anche un abile disegnatore). Il suo gusto per la calligrafia lo indusse a mettere insieme una magnifica raccolta di lettere autografe di artisti e gli stupendi album antichi, dove si conservano ancora oggi, intercalati tra le pagine, i suoi disegni, sono una prova ulteriore della sua passione per le antiche legature e per i libri. I visitatori della Fondazione Custodia, all'Institut Néerlandais di Parigi, non si stupiscono nello scoprire che moltissimi dei disegni di Lugt provengono da famose collezioni del passato, come quelle di Sir Peter Lely, Padre Sebastiano Resta, i Richardson – padre e figlio – Zoomer, Mariette, Sir Thomas Lawrence o William Esdaile. Era logico che l'autore di *Marques de Collections* fosse soprattutto attirato dai disegni appartenuti a quegli appassionati, dei quali egli aveva studiato cosí a fondo le vite e i successi nelle sale d'asta. Interessi da erudito, senza dubbio; ma non vi era nulla di arido nella sua concezione di una raccolta d'arte. Non aspirava particolarmente – almeno per quanto riguarda gli italiani – a completare il piú possibile la sua collezione, come potrebbe fare il conservatore di un museo: restò sempre, nel miglior senso della parola, un dilettante, e aveva predilezioni ben spiccate. Carlos van Hasselt ricorda che egli non aveva un gran concetto dei disegni del Tintoretto. Sebbene ne comparissero spesso sul mercato, ai suoi tempi, Lugt acquistò per la sua collezione un solo disegno di Jacopo (e nemmeno del tutto ineccepibile, cfr. n. 49) e due del figlio Domenico. Se non arrivò mai a possedere disegni di Paolo Veronese, fu probabilmente perché gliene mancò l'occasione e non perché nutriva delle riserve su questo grande artista. Nel 1929 acquistò, ancora da Luigi Grassi, alcuni splendidi esemplari di scuola veneta, dalla fine del Cinquecento al XVIII secolo: tra questi i sei schizzi nei quali Janos Scholz ha riconosciuto la mano del vicentino Alessandro Maganza e due dei suoi Tiepolo piú belli. Giambattista Tiepolo fu una delle prime passioni di Frits Lugt: egli ne acquistò poi altri provenienti dalla raffinata collezione del visconte Bernard d'Hendecourt, posta in vendita a Londra nel 1929, e dai famosi album appartenuti al colonnello Edward Cheney e venduti a Londra nel 1885. La *Figura di ecclesiastico* del Piazzetta (n. 75) è un esemplare dello straordinario fiuto di Lugt per la qualità: esistono infatti almeno cinque versioni dello stesso disegno e questa è indiscutibilmente la migliore, mentre tutte le altre sono probabilmente opere di bottega.

Dopo la morte di Lugt, avvenuta nel 1970, la collezione di disegni veneti della Fondazione Custodia si è ulteriormente arricchita grazie ad alcune importanti acquisizioni dovute all'attuale Direttore, Carlos van Hasselt: si veda il giorgionesco *Tre filosofi in un paesaggio*, che io ritengo sia uno dei rari esempi della grafica di Giulio Campagnola (n. 37); lo schizzo del Maffei – assai poco noto come disegnatore – e la bella tempera su pelle di capretto di Marco Ricci. Gli specialisti del Settecento veneziano troveranno inoltre, tra i disegni entrati di recente nella raccolta, opere del Diziani e del Fontebasso, di Bartolomeo Nazari e di Pietro Rotari, di P.A. Novelli e del Bison, e altre ancora, di meno sicura attribuzione, sulle quali esercitare la loro competenza.

Molti hanno scritto sul collezionista Lugt, prima e dopo la sua morte. René Huyghe, che fu suo collega al Louvre agli inizi della grande opera di catalogazione dei disegni fiamminghi e olandesi, ci ha lasciato un eloquente ritratto dell'uomo, dei suoi metodi e delle sue aspirazioni nell'elogio funebre, pubblicato poi dall'Institut Néerlandais. Quelli che lo hanno conosciuto di persona stanno ormai lasciando, uno ad uno, la scena del mondo e io vorrei aggiungere qualche mio ricordo di un rapporto iniziato nel lontano 1928, quando Lugt viveva con la moglie a Maartensdijk, nei pressi di Utrecht. Non posso dire di averlo conosciuto molto bene – poche persone, io credo, hanno avuto questa fortuna – poiché egli manteneva, come dice R. Huyghe, una *«prestance presque militaire»* e una *«fermeté qu'il poussait parfois jusqu'à l'inflexibilité»*; tuttavia, dopo la seconda guerra mondiale, ebbi occasione di incontrarlo molto di frequente. Era decisamente riservato, di modi e di aspetto; alto e magro, con i capelli rossi pettinati con gran cura, la fronte alta e sfuggente, il naso aquilino, gli occhi molto chiari e le labbra sottili. Era sempre vestito con cura meticolosa e i suoi modi erano impeccabili. Ho forse descritto un personaggio non troppo attraente, ma con me egli fu sempre gentile e cordiale e penso che ci fosse tra noi un legame di simpatia perché avevamo imparato la storia dell'arte – o meglio a conoscere l'arte – allo stesso modo: non nelle aule universitarie, ma frequentando a lungo le gallerie e i gabinetti di disegni d'Europa, per passare poi attraverso la dura disciplina pratica del commercio delle opere d'arte. Ricordo bene – al tempo in cui mi interessavo soprattutto di arte nordeuropea (non avevo ancora messo piede in Italia per la prima volta) – con quanto rispetto ed attenzione mi accadeva di scoprire, sopra le ben note iniziali F. L., un'attribuzione – sempre convincente – in qualche remota collezione dove le montature dei disegni invitavano i visitatori a scrivere i loro commenti. Ricordo anche quanto ho imparato, in quella fatale estate del 1938, quando Lugt mi offrí l'opportunità di studiare i suoi meravigliosi disegni – conservati negli antichi album, o talora appesi nella grande camera blindata – in quella maestosa dimora sul Lange Vijverberg, all'Aja. In quei giorni lontani non avrei mai immaginato di avere in futuro il privilegio di catalogare una parte di quella grande collezione.

Londra, giugno 1981

JAMES BYAM SHAW

Disegni veneti
della collezione Lugt

Stefano da Verona
1375 - 1450/51

1. COPPIA DI AMANTI (1337)

·291 × 195. Penna e inchiostro bruno, controfondato. In alto a destra uno schizzo della testa di un cane e i versi, probabilmente autografi, a penna e inchiostro bruno *O nobilisima dona Adornata de oni belece / vaga siete nei vostri bei senbiaty / posto che sia tanta la vostra nobilita in altece / che atuti ño sia possibile Copede* [comprender] *e vostri vaghi pesieri tanti / ma io come spezato dal dio d amore con so Asperece / non potuto far dimeno ch io ño iscriva quanti / E quali sono le mie inumirabile pene chi porta / dicho perte madona che sei tuta tõta*, e sotto, forse della stessa mano, *Onor vi o fato o fazo / p poder star 9* [con] *vuy insolazo*. COLL.: F. Calzolari: L. Moscardo; L. Grassi (v. L. 1171 b); F. Lugt (L. 1028); acquistato nel 1923. BIBL.: Venturi, 1924, p. 7-9; 1925-I, p. 39, fig. 2; 1925-II, pp. 195, 199, 241; Van Marle, VIII, 1927, pp. 56, 106, 108, fig. 63; Hill, 1929, p. 22; Scharf, 1930, pp. 5-8, tav. 7; Van Marle, 1931-1932, pp. 470, 473, fig. 471; Le Suffleur, 1932, p. 287; Venturi, 1934, pp. 494-495; Degenhart, 1937-I, pp. 528-529; Berti Toesca, 1939, p. 142; Degenhart, 1942, pp. 13, 16, 63, tav. 11a (come Stefano da Verona); 1945, pp. 12, 70, fig. 11 a; Fiocco, 1950, p. 62, tav. XLIV, fig. 18; Brenzoni, 1952, pp. 211-212, 216, tav. LXXXVI; Degenhart, 1954, p. 107; Hoetink, 1962, pp. 545-546, fig. 1; Bloch, 1962, pp. 198-199; Magagnato, 1962, pp. 100, 103, fig. 127; Fossi Todorow, 1966, pp. 43, 176-177, n. 359, p. 228, tav. CXXIX; Byam Shaw, 1978-I, III, p. 13, n. 2; Firenze, 1978, p. 53, n. 57. ESP.: Parigi, 1932, n. 97 (come Pisanello); Amsterdam, 1934, n. 612 (come Pisanello); Parigi, 1935, n. 647 (come Pisanello); Parigi-Rotterdam-Haarlem, 1962, n. 10, tav. V (come Pisanello).

1

Questo disegno piuttosto famoso, cosí tipico dello stile gotico cortese della prima metà del XV secolo, veniva comunemente ritenuto opera del Pisanello, finché il Degenhart, nel 1937, non dimostrò che andava invece sicuramente attribuito a Stefano da Verona. È certamente della stessa mano del n. 2, sul quale è scritto, in grafia un poco piú tarda (XVI secolo?), *di mano di falconeto*; e il Van Marle (VII, 1926, pp. 274, 292-293, fig. 192) attribuisce quel disegno al fratello di Stefano, detto appunto — come afferma lo studioso — Falconetto. Ma in realtà il Vasari — che il Van Marle cita — non dice affatto questo: afferma invece (V, p. 318) che Stefano aveva un fratello di nome Giovan'Antonio, pittore di scarso valore, e questo fratello aveva a sua volta un nipote che si chiamava Giovan Maria Falconetto. Di quest'ultimo (1468-post 1533) ci sono pervenute varie opere. Non è certo che Falconetto fosse un cognome ai tempi di Stefano, ma si può osservare che su due disegni dall'Albertina (Stix e Fröhlich-Bum, 1926, nn. 3 e 6), attribuiti a Stefano e con la stessa provenienza di questi, vi è la scritta *Stefano falconeto*. Le antiche iscrizioni su questi disegni e su altri del gruppo Calzolari-Moscardo sembrano essere di varie epoche e di mani diverse, per cui i nomi che vi si leggono non possono valere come prove conclusive. Ad eccezione dei versi scritti su questo foglio — che potrebbero essere autografi dell'artista — e del nome *Stefanus* sul n. 4, che sembra sia la sua firma, restano ancora da spiegare le scritte *di mano di falconeto* sul n. 2, *Aô* (o *Giô*) *Maria Falconeto* sul n. 6 e *Stefano falconeto* sui fogli, già ricordati, dell'Albertina. Vi è anche l'iscrizione — di significato dubbio e talora quasi cancellata — *Questo desegno fo de felipo* sul n. 4 (che è firmato *Stefanus*) e su altri disegni presenti alla mostra (nn. 3, 5 e 10); la stessa scritta figura anche su un *Angelo* dell'Albertina, proveniente dalla stessa fonte (Stix e Fröhlich-Bum, 1926, pp. 2, 3, 5, n. 5) e si veda inoltre Koschatzky-Oberhuber-Knab, 1972, n. 4. Il nome potrebbe essere quello di uno dei primissimi proprietari dei disegni (Lugt, Suppl., 1956, n. 2990 a).

Per la provenienza di questo e di altri venti disegni della Fondazione Custodia, si veda Lugt, Suppl., 1956, n. 2990 a. Nel novembre del 1923 Frits Lugt acquistò questi disegni da Luigi Grassi, il quale afferma in una lettera al Lugt di averli comperati dalla famiglia Moscardo di Verona nel 1905. Il Grassi pensava che essi costituissero la collezione ricordata da Giovanni Battista Persico nella sua Descrizione di Verona e della sua Provincia *(ed. 1820, I, p. 179): «il celebre Museo, raccolto e descritto dal Co. Ludovico Moscardo, già rinomato per tutta Europa, dal primo suo domicilio si ha trasportato, per quanto ne resta, nella casa qui presso de' guariente no 934. Conteneva esso gran parte del museo Calceolari e*

2

*fra una copiosa raccolta di medaglie, lodata dal Vaillant, disegni origina-
li...».* Nel 1656 venne pubblicato un catalogo del Museo Moscardo, che
ebbe nel 1672 una seconda edizione: Note overo memorie del Museo
del Conte Lodovico Moscardo, nobile Veronese, ... *(Andrea Rossi,
Verona) dove sono elencati (pp. 472-473) molti disegni in cornice e su
album.* Del Museum Calceolarianum Veronense, *creato dal botanico
Francesco Calzolari[o] (1522-1609) e giustamente famoso per le sue
raccolte di storia naturale, uscí già nel 1622 un catalogo di Benedetto
Ceruti e Andrea Chiocco (Firenze, 1980, n. 7.93; Pisa, 1980, n. C.
IV.15, per un ritratto del Calzolari; v. anche Viviani, 1923, pp. 389-
390). I disegni di provenienza Calzolari-Moscardo facevano parte di un
gruppo di piú di 500 fogli acquistati dal Lugt nel 1923. Di questi il Lugt
ne tenne per sé 37 (tra cui i nn. 1-2, 4-10, 14, 17-20, 29, 30-31, 42 di
questo catalogo) e ne diede 52 (tra cui 15 con la provenienza Calzolari-
Moscardo), nel 1923, all'Albertina di Vienna, in cambio soprattutto di
esemplari doppi di stampe. Il resto di questa grande raccolta fu poi
venduto a Londra, da Sotheby's (13.5.1924, nn. 48-154): in tutto 479
disegni della collezione «G.L.». Tra questi ve ne erano solo sei del
gruppo Calzolari-Moscardo e furono acquistati da Robert Lehman (nn.
114-118 e 152 del catalogo della vendita Sotheby's; New York, 1978,
nn. 3-7; i nn. 3 e 7 sono ora attribuiti a Stefano). Nell'ottobre del 1929 il
Lugt comperò poi un secondo gruppo di 61 disegni dal Grassi, tra cui
dieci della collezione Calzolari-Moscardo. Di questi, quattro li tenne per
sé (nn. 3, 16, 24 e 32 di questo catalogo) e vendette gli altri sei a Franz
Koenigs agli inizi del 1930 (alcuni sono ora al Museo Boymans-van
Beuningen di Rotterdam). Si veda anche la scheda n. 21.*

2. LA SPERANZA (1343)

298 × 205. Penna e inchiostro bruno. *Verso*: Annunciazione. Sul
recto, a penna e inchiostro bruno, grafia del XVI (?) secolo *di mano di
falconeto*; sul *verso*, in alto, a penna e inchiostro bruno, grafia del XV
secolo *...popora, pulpora, pulporina* (forse solo un esercizio di scrittu-
ra). COLL.: v. n. 1. Bibl.: Van Marle, VII, 1926, pp. 292-294, fig. 192;
Fiocco, 1931, pp. 1206, 1211 (come G.M. Falconetto); Van Marle,
1931-1932, II, pp. 36, 57, fig. 68; Degenhart, 1937-I, p. 528; Fiocco,
1950, p. 17, tav. XLIV (come probabile Stefano da Verona).

La striscia di carta che si vede nella fotografia venne staccata dal foglio
nel 1977, quando venne rimosso il supporto; contiene sul *recto* un

frammento di figura drappeggiata e uno studio architettonico con la parola *Bruzo* (?) e sul *verso* altri schizzi di panneggio e architetture. *La Speranza* sul *recto* del foglio, per la quale il Degenhart accetta l'attribuzione a Stefano, è certamente della stessa mano del n. 1. L'*Annunciazione* sul *verso*, scoperta solo nel 1977, è di qualità un poco inferiore (si osservino la mano destra e il braccio della Vergine), ma dello stesso identico stile e sicuramente dello stesso autore. Per la scritta *di mano di falconeto* si vedano le schede nn. 1 e 6 di questo catalogo. Il Fiocco, in un primo tempo (1931) pensò che l'autore potesse essere il ben noto Giovanni Maria Falconetto (1468-post 1533), nipote del fratello di Stefano, ma successivamente abbandonò questa attribuzione. *Per la provenienza si veda la scheda n. 1.*

3. INCORONAZIONE DELLA VERGINE (4147)

301 × 214. Penna e inchiostro bruno su tracce di carboncino. Scritte a penna e inchiostro bruno, probabilmente autografe, in alto a destra *Serafini sociani* (?) e *S* (per Stefano?), in basso a sinistra *fac de questi muxi / cho quei muxi / chô quella onbra / E de questi buffolutti.* A destra (mezzo cancellati) marchio e scritta di altra mano, a penna e inchiostro bruno, *Questo desegno / fo de felipo*. COLL.: collezionista anonimo forse veronese (L. 2990 a); F. Calzolari; L. Moscardo; L. Grassi (L. 1171 b); F. Lugt (L. 1028); acquistato nel 1929. BIBL.: Degenhart, 1937-I, p. 528; 1937-II, p. 289, fig. 256; Fiocco, 1950, pp. 56-64; Hennus, 1950, p. 86; Degenhart, 1954, pp. 106-107; Bacou, 1962, p. 59; Magagnato, 1962, pp. 100, 102, fig. 125; Degenhart, 1967, pp. 31-32, fig. 21; Koschatzky-Oberhuber-Knab, 1972, n. 4. ESP.: Parigi-Rotterdam-Haarlem, 1962, n. 6, tav. II.

Stilisticamente identico al disegno recentemente scoperto sul *verso* del n. 2 e, come quello, di esecuzione piú sommaria del n. 1 o del *recto* del n. 2; però la mano è sicuramente la stessa. Il particolare tratteggio lungo i contorni delle figure è tipico dei disegni di Stefano. Per la scritta *Questo desegno fo de felipo* si veda la scheda n. 1; le altre iscrizioni sembrano essere della stessa mano che ha tracciato i versi sul n. 1 e sono probabilmente autografe dell'artista. Quella in basso al centro, con accanto degli studi di teste, contiene probabilmente delle istruzioni per un allievo. *S.* sta forse per Stefanus (cfr. n. 4). *Per la provenienza si veda la scheda n. 1.*

4

4. COMBATTIMENTO DI QUATTRO CAVALIERI (1345)

267 × 207. Penna e inchiostro bruno. Firmato, in basso a destra, a penna e inchiostro bruno *Stefanus*; al centro (mezzo cancellati) marchio e scritta di altra mano, a penna e inchiostro bruno *Questo desegno fo de felipo*. COLL.: collezionista anonimo forse veronese (L. 2990 a); F. Calzolari; L. Moscardo; L. Grassi (L. 1171 b); F. Lugt (L. 1028); acquistato nel 1923. BIBL.: Van Marle, VII, 1926, pp. 291, 292, fig. 191; 1931-1932, I, pp. 312, 327, fig. 125; Degenhart, 1932, pp. 32-33, tav. 11; 1937-I, p. 528; 1942, pp. 13, 17, 63, tav. 11 (come Stefano da Verona); Fiocco, 1950, pp. 56-64; Degenhart, 1954, p. 106. ESP.: Amsterdam, 1934, n. 701; Parigi-Rotterdam-Haarlem, 1962, n. 7.

Sul *verso* di un foglio dell'Albertina (Stix e Fröhlich-Bum, 1926, n. 5), anch'esso proveniente dalle raccolte Calzolari-Moscardo e attribuito a Stefano da Verona, vi è un disegno di soggetto simile a questo, anche se di qualità inferiore. Nel nostro disegno il movimento dei cavalli e dei cavalieri è molto ben osservato e la presenza di una firma indubbiamente autografa è di fondamentale importanza per l'individuazione dello stile grafico di Stefano. Per l'altra scritta e la provenienza si veda la scheda n. 1.

5. LA FORNACE ARDENTE (1342)

297 × 299. Penna e inchiostro bruno. *Verso*: S. Girolamo nello studio. Sopra le porte della fornace scritta a penna e inchiostro bruno *i fornaçen ignis Ardentis*; sul *recto* e *verso* (mezzo cancellati) marchio e scritta di altra mano, a penna e inchiostro bruno *Questo desegno fo de felipo*. COLL.: v. n. 4. BIBL.: Popp, 1928, pp. 59, 63, 67; Degenhart, 1937-I, p. 528; Firenze, 1978, n. 57. ESP.: Amsterdam, 1934, n. 447 (come Scuola Veronese, XV secolo); Parigi, 1935, n. 726.

Si confronti lo stile di questo disegno in particolar modo con la *Caccia all'unicorno* degli Uffizi, giustamente (a mio avviso) attribuita a Stefano da Verona dal Van Marle (II, 1926, pp. 284-285, fig. 186; Firenze, 1978, n. 58, fig. 91). La scritta sopra le porte della fornace è sicuramente della stessa mano di quelle del disegno del Kupferstichkabinett di Dresda, riprodotto dal Van Marle (VII, 1926, pp. 278, 280, 282, fig. 184) e di un altro disegno di Stefano degli Uffizi (Firenze, 1978, n.

57, fig. 87: nella scheda sono citati sia il nostro disegno sia quello di Dresda e si conferma che la grafia è la stessa). Per la scritta *Questo desegno fo de felipo* si veda la scheda n. 1. Il *S. Girolamo* sul *verso* è di qualità inferiore, anche se il viso ricorda da vicino quelli dei *Tre Profeti* dell'Albertina (Stix e Fröhlich-Bum, 1926, n. 3), che hanno la stessa provenienza del nostro disegno. Il Degenhart (che lo crede un *S. Marco Evangelista*) lo ritiene un'opera giovanile di Stefano, pur pensando che il disegno sul *recto* sia di epoca posteriore. *Per la provenienza si veda la scheda n. 1.*

6. SANSONE CHE UCCIDE IL LEONE (1339)

278 × 197. Penna e inchiostro bruno. In basso a sinistra, a penna e inchiostro bruno, grafia del XVI secolo *Giō* (?) *Maria Falconeto.* COLL.: v. n. 1. BIBL.: Van Marle, VII, 1926, pp. 293-295, fig. 193; Degenhart, 1937-I, p. 528 (come Stefano da Verona). ESP.: Amsterdam, 1934, n. 451; Parigi-Rotterdam-Haarlem, 1962, n. 5, tav. VI.

L'iscrizione, piú tarda di almeno un secolo del disegno, è stata letta *Aō* (Antonio) *Maria Falconeto* e si è ritenuto che alludesse al fratello minore di Stefano, che però — secondo il Vasari (V, p. 318) — si chiamava Giovan'Antonio e non Antonio Maria. Mi sembra piú giusto invece leggervi *Giō. Maria Falconeto* e pensare che si riferisca al nipote di Giovan'Antonio (e pronipote di Stefano) che era appunto Giovanni Maria detto Falconetto, il primo della famiglia ad essere chiamato cosí dal Vasari. Questo pittore (1468-post 1533), di cui si conservano varie opere a Verona e in altre località, non può certamente essere l'autore del nostro disegno: si vedano anche la scheda n. 2 e le osservazioni del Degenhart sull'argomento. Penso che il disegno sia un'opera di Stefano, probabilmente piú tarda degli esempi precedenti e particolarmente vivace. Un disegno dello stesso soggetto, dalla composizione abbastanza simile e sicuramente della stessa mano, un tempo nella collezione Carnegy-Arbuthnot, è ora di proprietà della Staatliche Graphische Sammlung di Monaco di Baviera (Schmitt, 1974, p. 239, fig. 1). *Per la provenienza si veda la scheda n. 1.*

7. SANSONE E I FILISTEI (1338)

303 × 200. Penna e inchiostro bruno su carboncino, controfondato. In alto a sinistra, quasi non piú visibili, un marchio e la scritta *Questo*

desegno fo de felipo. COLL.: v. n. 4. BIBL.: Degenhart, 1937-I, p. 528 (come *Caino e Abele,* di Stefano da Verona).

Bel disegno, di fattura piú accurata del precedente e, per certi aspetti, di stile piú maturo e di gusto già rinascimentale rispetto agli altri attribuiti a Stefano in questo catalogo; tuttavia, il segno a penna, il tratteggio lungo i contorni delle figure e certe caratteristiche morfologiche dei piedi e delle mani sono tipici dello stile grafico dell'artista e sarei per parte mia, decisamente propenso a riferirlo al suo ultimo periodo, verso il 1450: Al Louvre (inv. RF 1870.00.844) si conserva un disegno dello stesso soggetto, di fattura meno elaborata e forse piú giovanile, ma sicuramente della stessa mano. Vi sono poi altri due fogli molto simili al nostro per stile e soggetto: uno agli Uffizi — una figura nuda maschile: forse un altro Sansone (Firenze, 1978, n. 59, fig. 90) — e l'altro al Metropolitan Museum di New York (lascito Lehman), proveniente dalla vendita Grassi-Lugt (New York, 1978, n. 3). Penso che siano tutti di Stefano da Verona. *Per la scritta e la provenienza si veda la scheda n. 1.*

8. MADONNA COL BAMBINO (1341)

173 × 136. Penna e inchiostro bruno. COLL.: v. n. 1. BIBL.: Degenhart, 1937-I, p. 528 (come Stefano da Verona).

Le figure e le pieghe aggraziate delle vesti ricordano cosí da vicino alcuni quadri notissimi — l'*Adorazione dei Magi* della Pinacoteca di Brera, la *Madonna e Angeli* della Galleria Colonna di Roma e la *Madonna del roseto* del Museo di Castelvecchio di Verona (Van Marle, VII, 1926, p. 277, figg. 180-181 e di fronte a p. 282) — che non è possibile non accettare l'attribuzione a Stefano da Verona. Tra gli altri disegni generalmente ritenuti di sua mano, si veda in particolar modo la *Carità* degli Uffizi (Firenze, 1978, n. 54, fig. 89) dove i fanciulli sono quasi identici a questo Gesù Bambino. *Per la provenienza si veda la scheda n. 1.*

9. S. GIOVANNI EVANGELISTA (1340)

290 × 204. Penna e inchiostro bruno. Scritte a penna e inchiostro bruno, probabilmente autografe: in alto *S. Joanes Evangelista,* in basso

a destra *Egle diseso dalto loco cio di montagna,* sul libro *in princi/pio erat ve*[rbum]. COLL.: v. n. 1. BIBL.: Van Marle, VII, 1926, pp. 122-123, fig. 79; Degenhart, 1937-I, p. 528 (come Stefano da Verona).

Il Van Marle lo riproduce come opere di scuola lombarda, c. 1400, e lo collega con altri due disegni provenienti dalla collezione di Luigi Grassi, che egli ritiene siano della stessa mano: *Il Profeta Daniele,* qui n. 10, e *Un Padre della Chiesa* (ma si tratta sicuramente di un altro profeta) ora al Metropolitan Museum di New York (lascito Lehman. v. New York, 1978, n. 7). Per parte mia, penso che siano ambedue di Stefano. La datazione proposta dal Van Marle per il nostro disegno mi sembra troppo precoce. Lo stile è senza dubbio quello di Stefano da Verona: con lo stesso tratteggio lungo i contorni delle figure e sulle vesti, e lo stesso segno fluido. Si basa soltanto su analogie iconografiche l'ipotesi che esista un rapporto (come è stato suggerito) con il pittore Tommaso da Modena, nei cui affreschi del 1352 per la Sala del Capitolo di S. Nicolò di Treviso sono raffigurati dei personaggi nello studio che portano occhiali (Menegazzi, 1979, pp. 115-129, n. 4; si veda in particolare il Cardinale Ugo di Provenza a p. 117) simili a quelli dell'Evangelista del nostro disegno. Le figure di Tommaso da Modena sono meno aggraziate e appartengono piuttosto alla tradizione giottesca del XIV secolo. Il Degenhart accoglie l'attribuzione a Stefano e lo ritiene un'opera giovanile. *Per la provenienza si veda la scheda n. 1.*

10. IL PROFETA DANIELE (1349)

259 × 189. Penna e inchiostro bruno. In alto a sinistra, a penna e inchiostro bruno *Daniel pta.* e sul cartiglio *Convenerit santus santori cesabit nuntio vestra* (forse una profezia, ma non identificabile nel libro di Daniele); sul *verso,* visibili solo agli ultravioletti, un marchio e la scritta *Questo desegno fo de felipo.* COLL.: v. n. 4. BIBL.: Van Marle, VII, 1926, p. 122; Degenhart, 1937-I, p. 528.

A prima vista questo disegno sembra essere meno buono del precedente e degli altri fogli qui attribuiti con maggior sicurezza a Stefano da Verona, ma è chiaramente non finito (il calamaio e la stessa figura sembrano sospesi nell'aria) e il segno a penna sembra tutt'altro che impacciato. Credo che sia dello stesso autore del n. 9 e probabilmente proprio di Stefano. Per la provenienza e per la scritta *Questo desegno fo de felipo* si veda la scheda n. 1.

11. GENTILUOMO CON FALCONE (6064)

225 × 172. Penna e inchiostro bruno, acquerello bruno, rialzato d'oro, con acquerello rosa. Controfondato. In basso a destra, a penna e inchiostro bruno scuro *Di mano del Pittore Cosmèto*, grafia del XVI secolo. COLL.: L. Lucas (L. 1733 a); C. Lucas; F. Lugt (L. 1028); acquistato nel 1949. BIBL.: Degenhart, 1954, pp. 113-116, fig. 119; Fossi Todorow, 1966, pp. 43, 127, n. 180, pp. 177-178, n. 363 (non come Pisanello, ma piuttosto di Scuola Lombarda); Ragghianti, 1972, pp. 168-169, 171, fig. 135 (come Stefano da Ferrara); 1975-1976, p. 9, fig. 1; Byam Shaw, 1978-I, III, pp. 13-14, n. 10. ESP.: Parigi-Rotterdam-Haarlem, 1962, n. 12.

La scritta è un'erronea attribuzione al ferrarese Cosmè Tura. Il Degenhart, che ha pubblicato questo disegno come del Pisanello, segnalò che il motivo ornamentale sul manto — uno scrigno aperto con dentro un gioiello — è uno degli emblemi della casa d'Este e figura anche nella *Bibbia di Borso* della Biblioteca Estense di Modena (Degenhart, 1954, p. 115; per una medaglia del 1460 v. Hill, *Corpus*, 1930, I, p. 27, n. 96, II, tav. 22). La tecnica è piú elaborata di quella della maggior parte dei disegni del Pisanello e l'attribuzione è stata respinta dalla Fossi Todorow e dal Ragghianti. Tuttavia, la testa del giovane gentiluomo ricorda chiaramente il S. Giorgio del dipinto firmato con l'*Apparizione della Madonna ai SS. Antonio e Giorgio* della National Gallery di Londra, mentre i particolari e i raffinati tocchi d'oro sull'abito del cavaliere e sulla bardatura del mulo, come pure i cinque cani, vanno tutti confrontati con l'altro dipinto dello stesso museo: *La visione di S. Eustachio*. Il disegno di scuola veronese del British Museum (Popham-Pouncey, 1950, n. 305, tav. CCXVIII) che il Ragghianti mette in rapporto col nostro, per attribuirli ambedue al poco noto Stefano da Ferrara, mi sembra di una mano molto piú debole e la somiglianza sta forse solo nelle vesti.

12. CAVALIERE (5082)

252 × 177. Penna sottile e inchiostro di china su carta parzialmente preparata in rosa. In alto a sinistra leggero schizzo del profilo di un giovane. *Verso*: scena in un bagno. COLL.: H. Oppenheimer (v. L. 1351); F. Lugt (L. 1028); acquistato nel 1936. BIBL.: Parker, 1927, n. 8; Popham, 1931, n. 13, tav. XII; Cetto, 1936, n. 7; Van Marle, XVII, 1935, p. 96 (come Jacopo Bellini); Parker, 1936-I, n. 146, tav. 36 (come Cerchia del Pisanello); Degenhart, 1943, pp. X, 165, n. 9; 1954, pp. 103-106, figg. 105, 107; Jaffé, 1962, p. 237, fig. 2; Fossi Todorow, 1966, pp. 43, 177, nn. 228, 360, tav. CXXIX; Sutton, 1976, p. 243, fig. 2. ESP.: Londra, 1930-I, n. 612; Parigi-RotterdamHaarlem, 1962, n. 4, tav. VIII.

Fin dalla sua pubblicazione nel 1927, ad opera del Parker, questo eccezionale disegno (con l'interessante scena di genere sul *verso*) è stato quasi sempre esposto e citato come opera di scuola veronese, stilisticamente affine al Pisanello e a Jacopo Bellini; ma la Fossi Todorow esclude (senza dubbio giustamente) che possa appartenere alla cerchia del Pisanello, mentre il Degenhart — che vi aveva in un primo tempo (1943) visto degli influssi francesi — pensò in seguito (1954) di poterlo situare nell'area del Trentino-Alto Adige. In tempi ancora piú lontani, tuttavia, era stato proposta l'attribuzione (di cui non ho scoperto l'origine) a uno dei piú antichi incisori tedeschi, detto dal Lehrs (1908, I) *Meister der Spielkarten*, per una serie di 60 carte da gioco di cui esistono vari esemplari alla Bibliothèque Nationale di Parigi e al Gabinetto delle Stampe di Dresda. Mi sembra che quella vecchia attribuzione fosse molto piú appropriata: la tecnica, il finissimo tratteggio verticale e la strana figura nuda del cavaliere — un *wilder Mann*, come se ne incontrano spesso nelle stampe e negli arazzi del XV secolo, provenienti dalla regione svizzera o dell'Alto Reno — sembrano suggerire proprio questa soluzione. Anche lo stile e il soggetto del disegno sul *verso* (che è stato poco studiato) sono molto piú di gusto d'oltralpe. Si confronti la testa del cavaliere con il *Blumenkönig* della serie delle carte da gioco (Lehrs, 1908, *Tafelband*, tav. 5, n. 10) e l'intera figura con il *Wilden-König* di un immediato collaboratore del Maestro delle carte da gioco (Lehrs, 1908, *Tafelband*, tav. 13, n. 34); per il cavallo, infine, si veda l'*Adorazione dei Magi* dell'incisore detto dal Lehrs *Meister der Weibermacht* (Geisberg, 1923, p. 45, tav. 24). La tecnica e le figure del *verso* possono essere paragonate a quelle di un disegno con il *Cristo portacroce* dell'Albertina di Vienna (Tietze-Benesch e Garzarolli-Thurnlackh, 1933, n. 12, tav. 5), ritenuto da vari autori una copia antica di un dipinto perduto di Hans Multscher, l'artista che il Lehrs mette particolarmente in rapporto con il Maestro delle carte da gioco.

Pittore veronese, 1ª metà del XV sec.

13. STUDI DI SOLDATI (4876)

280 × 199. Penna e inchiostro bruno su carboncino; controfondato. In basso a sinistra, a penna e inchiostro bruno, grafia del XVII secolo *A. Orcagna.* Sul supporto, in basso a destra, a penna e inchiostro bruno, grafia del XVIII secolo *Andrea Orkagna / o pure di Buffalmacci.* COLL.: M. von Fries (L. 2903); J.B. de Meryan, Marquis de Lagoy (L. 1710); Savile Gallery; F. Lugt (L. 1028); acquistato nel 1935. BIBL.: Borenius (v. Londra, 1930-I), pp. 3, 10 (come Pisanello); Degenhart, 1945, pp. 51, 73, fig. 23 (come Scuola di Pisanello); Hennus, 1950, p. 86; Degenhart-Schmitt, 1960, pp. 67, 137, nota 30, p. 139, n. 31 (come Pisanello); Sindona, 1962, pp. 63, 129, tav. 21; Mellini, 1962, p. 4, fig. 32; 1965, p. 34, fig. 46; Fossi Todorow, 1966, pp. 43, 171, 177, 228, n. 362, tav. CXXIX (come Scuola Veronese, inizi del XV sec., e non di Pisanello); Degenhart-Schmitt, I, 1968, vol. 2, Exkurs II, pp. 641-642; Byam Shaw, 1976-I, I, p. 184, n. 684. ESP.: Londra, 1930-I, p. 10, n. 17; Parigi-Rotterdam-Haarlem, 1962, n. 11.

Al British Museum sono conservati due disegni molto simili a questo nel soggetto e nei caratteri generali: uno rappresenta un *Gruppo di cavalieri in battaglia* (Popham-Pouncey, 1950, I, n. 299 *recto*, II, tav. CCLXIII; Fossi Todorow, 1966, n. 327, tav. CXXVI; Paccagnini, 1973, pp. 138, 161, figg. 90-91; si veda anche un disegno dell'Ambrosiana: Fossi Todorow, 1966, n. 333, tav. CXXVI) e l'altro una *Scena di accampamento* (Popham-Pouncey, 1950, I, n. 304, II, tav. CCLXV, anch'esso proveniente dalle collezioni Von Fries e Lagoy). Il primo (a penna e inchiostro) è forse disegnato con piú precisione del nostro, mentre l'altro è eseguito (a punta di pennello) con una tecnica piú libera. Vi è poi, al Christ Church di Oxford, un altro disegno analogo che raffigura *Quattro cavalieri con una scala d'assedio* (Byam Shaw, 1976-I, I, n. 684, II, tav. 384) ed è però di qualità meno buona. È possibile che derivino tutti da qualche affresco di tema storico, forse del Pisanello, come quelli recentemente scoperti a Mantova (Paccagnini, 1973) o quelli, ora scomparsi, del Palazzo Ducale di Venezia. Si è pensato anche agli affreschi di Altichiero a Padova (Popham-Pouncey, 1950, I, n. 299). Questo alla scritta *A. Orcagna*, Degenhart e Schmitt hanno segnalato nell'*Exkurs* l'esistenza di un gran numero di disegni con «pseudo firme» di questo tipo, tutte probabilmente di pugno dello stesso remoto collezionista. Una datazione approssimativa per queste «firme» potrebbe venir suggerita da un disegno della scuola di Rubens (uno dei pochissimi non italiani) in rapporto con il *Giudizio Universale* del 1620 circa. Molti di quei disegni passarono poi per le collezioni di Moriz von Fries o del Marquis de Lagoy (o di tutt'e due, come nel caso nel nostro foglio). Provenivano tutti, come affermano i due studiosi nel loro *Corpus* (Parte I, pp. 236-237, n. 127) da una grande raccolta chiamata il «libro romano di schizzi» di Gentile da Fabriano.

Pittore veronese, inizi del XV sec.

14. FOGLIO DI STUDI (1334)

181 × 167. Penna sottile e inchiostro bruno, tracce di carboncino solo sul *verso*. *Verso*: il Salvatore benedicente. COLL.: v. n. 1.

Non di grande qualità, ma di soggetto interessante: si tratta senza dubbio di un foglio di un antico libro di schizzi. *Per la provenienza si veda la scheda n. 1.*

Pittore veronese, metà del XV sec.

15. INGRESSO DI SOLDATI IN UN CASTELLO (5716)

142 × 145. Penna e inchiostro bruno, acquerello bruno chiaro. COLL.: H. Gilhofer e H. Ranschburg; F. Lugt (L. 1028); acquistato nel 1940.

Schizzo piuttosto sommario, buono nel suo genere, e di stile vagamente pisanelliano. È difficile che possa essere piú tardo del 1450 circa, ma non è certamente di un artista cosí remoto come Tommaso da Modena, cui la Spitzmüller intendeva attribuirlo (comunicazione orale del 1950) per confronto con disegni dell'Albertina (Stix-Spitzmüller, 1961, n. 348) e (già) della collezione Koenigs di Haarlem (Coletti, 1933, tavv. LXII, LXXXII e LXIII). Non mi sembra nemmeno che possa essere dell'autore del disegno dell'album Moscardo, di soggetto simile, venduto a Londra, da Sotheby's (21.10.1963, n. 77) come di «Cerchia di Altichiero Altichieri». Sulla pagina dell'album corrispondente a quel disegno vi era la scritta (della stessa mano di quella del n. 21 di questo catalogo) *di maestro altichiero qual dipinse la sala del podesta*. L'iscrizione era ripetuta anche sul disegno ma da una mano diversa.

Pittore veronese, 2ª metà del XV sec.

16. MONUMENTO PARIETALE (4146)

187 × 171. Penna e inchiostro bruno. In basso, grafia del XVI secolo *Stefano Falconeto*. COLL.: F. Calzolari; L. Moscardo; L. Grassi (L. 1171 b); F. Lugt (L. 1028); acquistato nel 1929.

Lo stile è quello delle scuole veronese e padovana degli anni c. 1460-1470, ma il disegno non è di grande qualità. Sul significato del nome Falconetto in rapporto con la famiglia Stefano da Verona, si vedano i nn. 1, 2 e 6 di questo catologo. La scritta si riferisce probabilmente proprio a Stefano, ma il disegno non è certamente suo. *Per la provenienza si veda la scheda n. 1.*

Pittore veronese, metà del XV sec.

17. GUERRIERO A CAVALLO (1350)

178 × 156. Penna e inchiostro bruno su carboncino, carta preparata in rosa. COLL.: v. n. 1. BIBL.: Tietze-Tietze Conrat, 1944, p. 167, n. 700 (come Michele Giambono).

I Tietze ascrissero questo disegno, pur con molte riserve, al veneziano Michele Giambono; ma vedo qui ben poche somiglianze con il suo famoso *S. Crisogono a cavallo* della Chiesa di S. Trovaso a Venezia (Van Marle, VII, 1926, p. 373, fig. 248). Un altro disegno di un *Cavaliere*, ora al Metropolitan Museum di New York, è stato messo in rapporto con quel dipinto dai Tietze (Tietze-Tietze Conrat, 1944, n. 701, tav. I; New York, 1978, n. 14), ma escluderei che fosse della stessa mano del nostro. Mi sembrano invece molto piú pertinenti le osservazioni del Degenhart (lettera del 20.10.1949) che ha scoperto un rapporto abbastanza preciso fra il nostro guerriero e una miniatura del manoscritto Reg. Lat. 1388 della Biblioteca Vaticana, che reca sul Fol. I l'iscrizione *scripto e miniato per mano de me Felice Feliciano da Verona.... 1463* (Panofsky, 1930). La miniatura ha per titolo *Mars Victor* e *Orion*, ed è possibile che il nostro disegno, il cui stile è quello dei piú diretti seguaci del Pisanello, sia uno schizzo preparatorio di quel miniatore veronese (che non mi è riuscito di trovare nominato in nessun luogo) per il foglio dalla Biblioteca Vaticana. *Per la provenienza si veda la scheda n. 1.*

Pittore veronese, c. 1450

18. S. GIROLAMO NEL DESERTO (1344)

203 × 295. Penna e inchiostro bruno. COLL.: v. n. 1.

È questa la metà inferiore di un interessante disegno, che è stato messo a confronto con il dipinto firmato di Bono da Ferrara nella National Gallery di Londra (Davies, 1961, n. 771) e, nel 1963, con un altro quadro, già nella collezione Wildenstein, attribuito ad Antonio Vivarini (foto n. 21121 della Fondazione Custodia). La posa del Santo e le pieghe della veste rivelano analogie piú precise con quest'ultimo dipinto, mentre lo sfondo con gli alberi, le rocce e il libro ricorda piuttosto quello della National Gallery. Bono da Ferrara si firma in quel quadro *Pisani discipulus* e il nostro disegno sembra in effetti appartenere alla tradizione pisanelliana. *Per la provenienza si veda la scheda n. 1.*

14

19. COPPIA DI INNAMORATI (1347)

181 × 223. Penna e inchiostro bruno. *Verso*: scena di duello. COLL.: v. n. 1. BIBL.: Tietze Conrat, 1938, pp. 25-26, tav. 24; Degenhart, 1939, pp. 143-144, fig. 61; Weller, 1943, p. 315; Scaglia, 1980, pp. 16, 24-25, fig. 23.

E. Tietze Conrat e B. Degenhart pensavano che il disegno fosse senese; il Tietze lo attribuí a Francesco di Giorgio, opinione non condivisa dal Degenhart che propose invece il nome di Guidoccio Cozzarelli. Il Weller cambiò ancora attribuzione e lo assegnò a Giacomo Cozzarelli, fratello minore di Guidoccio, mentre la Scaglia ripropose quest'ultimo nome. Questa incertezza è eloquente; per parte mia, non credo che l'autore possa essere uno di questi senesi, nelle cui opere si avverte chiaramente l'influsso di artisti fiorentini come Botticelli e il Pollaiolo: qui io non vedo nulla di simile. Invece, poiché il disegno proviene da antiche collezioni di Verona, dalle quali sono usciti quasi esclusivamente fogli di quella scuola, proporrei di situarlo anch'esso nell'area veronese. La tecnica mi sembra caratteristica e il soggetto del *verso* (di cui i Tietze non parlano) è certamente di sapore pisanelliano. La scena sul *recto* non è di qualità elevata, ma ha indubbiamente un suo fascino malinconico. *Per la provenienza si veda la scheda n. 1.*

20. CAVALLO (1348)

210 × 145. Penna e inchiostro bruno. Al centro, a penna e inchiostro bruno *pater nost...*, grafia contemporanea; sotto, a matita, [Gentile] *Bellini* (*Gentile*, in grafia del XIX secolo, visibile nella vecchia foto, è stato cancellato). COLL.: v. n. 1. BIBL.: Tietze-Tietze Conrat, 1944, n. A 361, tav. CLXXXVI; Mongan-Sachs, 1946, I, p. 8, n. 4.

Il disegno è stato attribuito a Jacopo Bellini per una certa somiglianza con un cavallo del libro di disegni del British Museum (Golubew, 1908, II, tav. XLII). Sono d'accordo con i Tietze, secondo i quali la tecnica fa pensare piuttosto alla maniera di Pisanello e dei suoi seguaci veronesi. *Per la provenienza si veda la scheda n. 1.*

Pittore dell'Italia settentrionale, metà del XV sec.

21. NAVE SUL MARE (6733)

124 × 91. Penna e inchiostro bruno. *Verso*: parte dell'albero della nave ricalcato dal *recto*. In alto, grafia degli inizi del XVI secolo *de frate nicolo badille*. COLL.: A. Badile (?) (v. L. 2990 b - 2990 h); L. Moscardo (?); Matthiesen Gallery; J.P. Durand, Durand-Matthiesen; F. Lugt (L. 1028); acquistato nel 1955. BIBL.: Degenhart-Schmitt, I, 1968, vol. 2, p. 280, n. 181, p. 310, n. 225.

Questo disegno, insieme con i nn. 22, 25, 26, proviene da un piccolo album in 8° del XVI secolo (conservato nella collezione Lugt) sul quale in passato erano incollati (su 28 pagine numerate) almeno 61 disegni, su molti dei quali vi erano delle scritte, spesso poco chiare, con nomi di artisti (v. L. 2990 b-g). Sulla copertina era scritto: DESEGNI · DE · VARIE [PERSONE] /· RACCOLTI PER ANT° · [BADILE] / Il · PICTORE · D· LANN[O DEL SI]GNORE · MCCCCC°. Le parti mancanti (in parentesi quadra) erano sul risvolto, ora perduto, della vecchia legatura e vennero annotate da Matthiesen Dalla scritta si arguisce che il collezionista poteva far parte della famiglia Badile di Verona, dalla quale uscirono circa quindici pittori. L'ipotesi più probabile è che si trattasse di Antonio II (1424-c. 1507), figlio di Giovanni (1379-post 1447) che era stato allievo e seguace di Stefano da Verona. Si pensa che l'album sia appartenuto al Conte Lodovico Moscardo e, in tal caso, esso avrebbe la medesima provenienza di molti altri disegni della Fondazione Custodia (v. n. 1), anch'essi probabilmente un tempo di proprietà di Antonio Badile. Molti disegni dell'album sono di artisti padovani, veronesi o veneziani, ma vi erano anche alcuni bei fogli, molto interessanti, di primitivi francesi e tedeschi del sud, ora dispersi in varie collezioni pubbliche e private (v. anche: Schmitt, 1966, n. 26 a-b; 1967, nn. 3-4; Joachim-Folds McCullagh, 1979, n. 1; Handbook, The Cleveland Museum of Art, *1978, pp. 66, 84, 99).* La scritta è una delle molte tracciate dalla stessa mano nell'album descritto dal Lugt, che ne riproduce sei (tra cui questa). Sono tutte oscure attribuzioni e c'è da chiedersi quanto possano essere attendibili. Secondo i documenti riassunti dal Van Marle (VII, 1926, p. 312 sgg.), a Verona vi era una numerosa famiglia di artisti il cui cognome era Badile. Nicolò (cui è ascritto questo disegno) era il piú vecchio e si pensa sia morto prima del 1393. Tale data sembra essere troppo precoce per il nostro foglio. Invece, il meglio noto Giovanni Badile, nato nel 1379 e morto prima del 1451, sembra abbia dipinto, nel 1443, gli affreschi con le storie di S. Girolamo nella Cappella Guantieri, in S. Maria della Scala di Verona; e in uno di questi (Van Marle, VII, 1926, pp. 314, 318, 320, fig. 213) vi è una nave abbastanza simile, il che potrebbe aver ispirato l'attribuzione, senza però necessariamente giustificarla. In realtà, queste raffigurazioni di navi erano spesso derivate da opere di altri artisti — incisioni tedesche o italiane, oppure antiche illustrazioni di libri — e, se non se ne rintraccia la fonte, sono molto difficili da datare. Carlos van Hasselt segnala che una nave molto simile a questa venne disegnata da Albrecht Altdorfer nel 1515 (ora nella Universitätsbibliothek di Erlangen; Winzinger, 1952, n. 105; Oettinger, 1959, pp. 113-114- fig. 41; Monaco, 1974, n. 49, tav. 55); e, come ha osservato il Winzinger, la fonte di quel disegno è l'incisione di Erhard Reuwich nella *Peregrinatio in Terram Sanctam* di Bernhard von Breydenbach, pubblicata a Magonza nel 1486. Il Winzinger (1952, p. 91, *Anhang*, fig. 10) ritiene che l'incisione del Reuwich derivi, a sua volta, da una fonte veneziana, poiché la stessa nave figura, al rovescio, in due dei teleri del Carpaccio per la Scuola di S. Orsola (Lauts, 1962, tavv. 6, 7 e 28). Sembra che l'album descritto dal Lugt (Suppl. 1956, p. 22) contenesse almeno dodici disegni ascritti a Giovanni Badile, con la stessa grafia che appare anche nel nostro disegno e sul n. 22, generalmente nella forma *d m̃ Zuane p̃.* Queste iscrizioni sono tracciate in alcuni casi sulle pagine dell'album, in altri proprio sul disegno e in un caso (a p. 25, dove vi erano quattro disegni di Madonne col Bambino) era invece scritto: *d m Zoane badile primo pictor.*

22. S. OMOBONO DA CREMONA (6809)

166 × 112. Penna e inchiostro bruno su carta leggermente preparata in rosa. In alto, scritta apparentemente autografa, tracciata con la stessa penna e inchiostro del disegno *Sanctus Homo Bonus de Cremona*; e, in grafia quasi contemporanea, a penna e inchiostro bruno *d m̊ Zuane p̊*. COLL.: A. Badile (?) (v. L. 2990 b - 2990 h); L. Moscardo (?); Matthiesen Gallery; F. Lugt (L. 1028); acquistato nel 1956. BIBL.: Van Gelder-Gerson-de Gorter, 1964, p. 6.

Al Rijksprentenkabinet di Amsterdam si conservano altri due disegni con la stessa scritta *Zuane p̊* o *d m̊ Zuane* e con la stessa provenienza di questo (Frerichs, 1963, nn. 2-3). Sono stilisticamente piú approssimativi e sembrano essere precedenti al nostro disegno, che situerei nell'ultimo quarto del XV secolo. La scritta *de m̊ joane*, che figura su un altro disegno di Amsterdam — anch'esso proveniente dall'album Badile Moscardo (*Bulletin van het Rijksmuseum*, 13, 1965, n. 3, p. 137, fig. 22) — pur essendo tracciata dalla stessa mano, si riferisce forse a un altro artista di nome Giovanni; quel disegno non è certamente dello stesso autore degli altri. Per il santo qui raffigurato, che era il patrono dei sarti e fu canonizzato nel 1199 (a soli due anni dalla morte) si veda Rosolino Saccani, *Sant'Omobono*, 1938. Vi sono chiese a lui dedicate a Roma e a Cremona. Quest'ultima città appartenne alla Repubblica Veneta per tutta la seconda metà del XV secolo e il disegno potrebbe essere di un artista veneziano (come suggerirebbe la forma Zuane) o forse piuttosto veronese. *Per la provenienza si veda la scheda n. 21.*

Andrea Mantegna (?)
1431 - 1506

23. MADONNA COL BAMBINO (4983)

168 × 121. Punta metallica (e pennello?), rialzato a biacca su fondo blu scuro; controfondato. In basso a destra, a penna e inchiostro

bruno, il numero Resta/Somers *g. 67.* Sul supporto, di mano del Richardson, *Luca Signorella* (sic) e *C. 55.* COLL.: S. Resta (v. L. 2992 e L. 2992 a); Mons. G.M. Marchetti; Cav. Marchetti; J. Talman; J., Lord Somers (L. 2981); J. Richardson senior (L. 2984); H. Melville Howard; F. Lugt (L. 1028); acquistato nel 1936. BIBL.: S. Resta, Lansdowne Ms 802 (British Library) Liber G. n. 67 (come Luca Signorelli); Popham, 1936, pp. 8-9; Hennus, 1950, p. 84. ESP.: Parigi-Rotterdam-Haarlem, 1962, n. 23, tav. XXIII.

Il disegno non è facile da giudicare per via del fondo scuro, ma sembra essere di elevata qualità, delicatamente rialzato a biacca e molto vicino al Mantegna. Le parti piú deboli sono forse la mano destra della Vergine — dalle dita piuttosto rigide — ed il collo. La figura del Bambino è particolarmente bella: ricorda quello della *Madonna col Bambino e Cherubini* della Pinacoteca di Brera ed è piú gradevole della maggior parte dei fanciulli dipinti dal Mantegna. Inoltre, la figura corrisponde (al rovescio) a quella della *Madonna col Bambino in trono con Santi e Angeli* della Akademie der bildenden Künste di Vienna, un dipinto attribuito dall'Eigenberger (1927, I, pp. 266-268, II, tav. 43), e senza dubbio con ragione, a un imitatore fiammingo di Andrea Mantegna. Che questo artista si sia servito di un modello dello stesso Mantegna risulta chiaramente dal fatto che le figure principali (e sempre con il Bambino al rovescio rispetto al nostro disegno) si ritrovano anche in un dipinto della bottega del maestro, ora conservato nella Galleria Sabauda di Torino (Mantova, 1961, n. 30, fig. 44). Lo stesso Bambino appare anche (e sempre nella stessa direzione) nella grande pala di Girolamo dei Libri, uno dei piú stretti seguaci del Mantegna, del Metropolitan Museum di New York (Wehle, 1940, p. 156). La figura della Vergine del nostro disegno presenta qualche analogia con la Madonna del famoso trittico con l'*Adorazione dei Magi* degli Uffizi.

Giovanni Bellini

c. 1431? - 1516

24. DUE UOMINI IN COSTUME ANTICO (4145)

414 × 266. Pennello, acquerello e olio, *en grisaille*; lo sfondo colorato in arancio. Con il restauro del 1978 sono state rimosse tutte le parti

19

non originali. COLL.: F. Calzolari; L. Moscardo; L. Grassi (v. L. 1171 b); F. Lugt (L. 1028); acquistato nel 1929. BIBL.: Tietze-Tietze Conrat, 1944, n. 339, tav. XXXVII, 1; Bacou, 1962, pp. 56-57; Jaffé, 1962, p. 234; Heinemann, 1962, I, n. MB 142 (come Lattanzio da Rimini); Shapley, 1979, pp. 53-54, n. 1090. ESP.: Amsterdam, 1934, n. 462 (come Italia settentrionale c. 1500); Parigi-Rottérdam-Haarlem, 1962, n. 30, tav. XXXI (come Bellini).

Acquistato dal Lugt come opera di Marco Basaiti e attribuito dal Berenson (comunicazione orale del 1930) a Niccolò Rondinelli. I Tietze hanno pubblicato un disegno che sembra essere il gemello di questo — forse parte di uno stesso studio di grandi dimensioni — e che si conserva nel Palazzo Arcivescovile di Kremsier (ora Kroměřiž) in Cecoslovacchia (Tietze-Tietze Conrat, 1944, n. 340, tav. XXXVII, 2); hanno inoltre segnalato l'esistenza di un grande dipinto bellinesco con *Cristo e l'adultera* nel quale appaiono, in un gruppo ai lati del Cristo, le due figure del nostro disegno e una delle due del foglio di Kremsier, mentre l'altra è sostituita dalla figura dell'adultera. I Tietze non conoscevano l'ubicazione del quadro che era loro noto solo attraverso una foto; in seguito esso è stato pubblicato da G. Gamulin (1972, pp. 193-194, fig. 265; Novara, collezione privata) come opera giovanile di Giovanni Cariani, c. 1505, ma senza riferimenti ai due disegni e alle osservazioni dei Tietze. L'identificazione del soggetto del dipinto, che spetta al Gamulin, è senz'altro esatta, ma i personaggi dei due fogli sembrano essere antichi romani, il che non trova alcuna giustificazione nell'episodio dell'adultera. È più probabile che i disegni facessero parte del corredo di bottega del Bellini e che siano stati utilizzati per una composizione indipendente da uno degli allievi (forse proprio il Cariani alla data proposta — c. 1505 — o poco dopo). Il quadro non è certamente del Bellini; esiste invece uno stretto rapporto tra i due disegni — per lo stile e per i tipi e le dimensioni delle figure — e il fregio con la *Continenza di Scipione* della National Gallery di Washington (Shapley, 1979, pp. 52-54) che viene ora generalmente attribuito a Giovanni Bellini. *Per la provenienza si veda la scheda n. 1.*

25. CRISTO SULLA CROCE (6734)

175 × 69. Penna e inchiostro bruno. COLL.: v. n. 21. BIBL.: Jaffé, 1962, p. 234. ESP.: Parigi-Rotterdam-Haarlem, 1962, n. 26.

Disegno di ottima qualità e per certi aspetti — soprattutto l'anatomia della gamba — molto vicino alle prime opere di Giovanni Bellini e a quel particolare gruppo di disegni che venivano spesso in passato attribuiti al Bellini, ma sono ora generalmente riconosciuti del Mantegna (si veda specialmente il contributo di J. Wilde nel catalogo Seilern, 1969, V, n. 345). Non mi riesce, tuttavia, di conciliare lo stile di questo disegno con l'opera di quei due grandi artisti; penserei piuttosto al Parentino — anche se il foglio mi sembra troppo bello per lui — o a Liberale da Verona. L'autore potrebbe essere lo stesso del disegno dell'Ecole des Beaux-Arts di Parigi, che raffigura una *Divinità marina e altre figure*, pubblicato dal Parker (1927, n. 16) e dall'Heinemann (1962, I, n. V. 215, II, tav. 875). *Per la provenienza si veda la scheda n. 21.*

Bernardo Parentino
1437 - 1531

26. FIGURA MASCHILE E PUTTI (6735)

216 × 158. Penna e inchiostro bruno. Sull'ara le lettere *D.O.V.*; in alto, a penna e inchiostro bruno, grafia contemporanea *di artemio* e, a destra, *A*. COLL.: v. n. 21.

Sicuramente in rapporto con il gruppo di disegni per i quali ho suggerito (Byam Shaw, 1934, pp. 1-7) il nome del Parentino, anche se questo non è uno dei migliori. Almeno nove disegni (compreso questo) con la scritta *artemio* stavano nell'album Moscardo-Matthiesen (v. Lugt, Suppl. 1956, L. 2990 h), tutti di questo stile e piuttosto deboli; ma vi era anche un disegno piú bello, dello stesso stile e di soggetto bizzarro come questo, con la scritta *Di mi* (messer?) *gaetano Laordillo* (ora nel Museum of Art di Cleveland; inv. 56-41) e quel disegno era sicuramente dell'artista che ritenevo di poter identificare col Parentino. I disegni dell'album Moscardo con la scritta *artemio* non mi erano noti nel 1934, quando scrissi il mio articolo; in seguito il perduto ritratto del Mantegna, cui mi riferivo, è stato scoperto (Londra, collezione R.E.A. Drey) e molti altri disegni del gruppo «Parentino» sono venuti alla luce. Essi variano notevolmente in qualità e grado di finitura, ma sono tuttora propenso a considerarli tutti della stessa mano e probabilmente del Parentino. Il disegno presente alla mostra, come tutti quelli con la scritta *artemio*, è molto meno finito di alcuni altri, ma vi si ravvisano quelle particolarità stilistiche che ho già avuto occasione di segnalare: i dettagli pseudo-antichi, le strane forme sinuose del drappeggio e del curioso elemento decorativo, certe caratteristiche morfologiche dei piedi. Tra i disegni piú finiti, che ho pubblicato come appartenenti al medesimo gruppo, ve ne sono due che mi sembrano, per forma e soggetto, molto prossimi al nostro disegno. Sono la *Venere e Cupido* del Victoria and Albert Museum (Byam Shaw, 1934, p. 4, tav. 7; Ward-Jackson, 1979, n. 14) e i *Due Cupidi con un mostro mitico* del Musée Bonnat di Bayonne (Byam Shaw, 1934, p. 4, tav. 6; Bean 1960, n. 212). Si potranno ancora avanzare delle riserve sul fatto che i disegni di questo gruppo siano tutti dello stesso autore e che si possa collegarli con quelli da me pubblicati nel 1934 come quasi certamente del Parentino; per parte mia, posso solo ripetere quanto scrissi allora e cioè che il Parentino visse fino al 1531 e morí a Vicenza a 94 anni di età: non gli era certo mancato il tempo di modificare il suo stile. *Per la provenienza si veda la scheda n. 21.*

Alvise Vivarini

c. 1445/46 - 1503/05

27. SEI STUDI DI MANI (2226)

279 × 194. Punta metallica, punta di pennello e colore grigio-bruno, su fondo rosa salmone, rialzato a biacca. COLL.: collezionista anoni-

mo (vendita, Stoccarda, H. Gutekunst, 25-26.5.1903, n. 67); F. Güterbock; F. Lugt (L. 1028); acquistato nel 1925. BIBL.: Parker, 1926, p. 6, tav. 10; 1927, n. 43; Van Marle, XVIII, 1936, pp. 166-167; Fleischmann, 1940, p. 445; Tietze-Tietze Conrat, 1944, n. 2245, tav. XXVIII; Longhi, 1946, p. 14; Hennus, 1950, p. 85; Amsterdam, 1953, p. 156; Mariacher, 1957, p. 233; Pallucchini, 1962, n. 281; Gonzalez-Palacios, 1969, p. 38; Byam Shaw, 1978-I, IV, tav. 13; Steer, 1980 (in corso di stampa); Ames-Lewis (in corso di stampa), 1981. ESP.: Nizza, 1979, n. 46.

Studi utilizzati in vari dipinti. Le due mani in alto a sinistra corrispondono, con sufficiente precisione, a quelle del S. Antonio da Padova della pala con la *Madonna in trono e sei Santi* delle Gallerie dell'Accademia, firmata e datata 1480, e a quelle del *S. Antonio da Padova* del Museo Correr. La mano destra che stringe l'asta di un pastorale (in alto a destra) ricorda da vicino quella, pur ricoperta da un guanto aderente, del S. Lodovico da Tolosa della pala del 1480, già ricordata, dell'Accademia. La mano sinistra protesa verso il basso (in centro a destra) corrisponde alla sinistra del S. Francesco d'Assisi della stessa pala, ma senza la stimmata e con il pollice piú accostato al palmo. Il braccio destro e la mano al centro in basso sono stati identificati da A. Gonzalez-Palacios come preparatori per il *S. Giovanni Battista* dell'Art Museum di Denver nel Colorado (Shapley, 1968, p. 49, tav. 111). Nella collezione Thyssen-Bornemisza esiste anche una versione precedente della stessa figura (Pallucchini, 1962, pp. 57, 132, tav. 228). È piú che probabile che lo stesso studio sia stato utilizzato anche per la figura del S. Giovanni Battista nella *Pala di Murano* degli Staatliche Museen di Berlino Est, come ha segnalato P. Provoyeur nel catalogo della mostra di Nizza (1979, p. 59). J. Steer, in un lavoro su Alvise Vivarini ancora inedito, ha messo in rapporto la mano in centro a sinistra con il *S. Girolamo* di Denver (Shapley, 1968, p. 49, tav. 112), *pendant* del già ricordato *S. Giovanni Battista*. L'ipotesi è plausibile dato il collegamento tra lo stesso foglio di studi e il dipinto gemello; ma nel quadro l'anatomia della mano è coperta da un guanto come nel S. Lodovico da Tolosa della pala dell'Accademia. Tra i pochi disegni per i quali si fa il nome di Alvise Vivarini, questo è quello che gli si può attribuire con maggior sicurezza ed è anche il piú bello. Assegnato in passato a Giovanni Bellini, è stato riconosciuto come opera di Alvise da O. Fischel, quando si trovava ancora nella collezione Güterbock.

28. TESTA DI UOMO BARBATO (5070)

197 × 141. Carboncino, pennello e acquerello bruno, ripreso in alcuni punti a penna e rialzato a biacca su carta bruno chiaro (forse azzurro stinto). *Verso*: studi di una gamba e di un piede, studio della parte inferiore di una figura drappeggiata. COLL.: Earls of Sunderland (?); Duca di Marlborough; J. Postle Heseltine (L. 1507); H.S. Oppenheimer (v. L. 1351 e suppl.); F. Lugt (L. 1028); acquistato nel 1936. BIBL.: Colvin, 1897, p. 204; Heseltine, 1906, n. 6; Von Hadeln, 1925-II, pp. 39, 58, tavv. 26-27; Fiocco, 1930, p. 78, tav. CLII b e c; 1931, p. 83, tav. CLII c e b; Van Marle, XVIII, 1936, p. 338; Parker, 1936, p. 31; Fiocco, 1942, p. 80; Tietze-Tietze Conrat, 1944, n. 622; Fiocco, 1958, p. 35; Lauts, 1962, pp. 231, 241, 275-276, n. 45, tavv. 65 e 73; Pignatti, 1963, p. 50; Muraro, 1966, p. 110; Perocco-Cancogni, 1967, p. 97; Byam Shaw, 1967, p. 45; Muraro, 1977, pp. 9, 72-73, tavv. 23-24; Byam Shaw, 1978-I, IV, tav. 25. ESP.: Rotterdam, 1938, n. 447, fig. 233; Parigi-Rotterdam-Haarlem, 1962, n. 36 tav. XXIX; Nizza, 1979, n. 23.

Il disegno sul *recto* è uno degli studi piú sensibili del Carpaccio. Teste come questa figurano in molti suoi dipinti, ma il rapporto piú preciso, già segnalato dai Tietze, dal Lauts, dal Perocco e dal Muraro, è con la testa dell'apostolo che sta alle spalle del Cristo, a sinistra, nella *Vocazione di S. Matteo* di S. Giorgio degli Schiavoni. È possibile che gli studi sul *verso* siano idee per l'*Annunciazione* della Ca' d'Oro (c. del 1504), come hanno suggerito il von Hadeln (1925) e K.T. Parker (1936); il Pignatti (1963) li ritiene invece preparatori per l'angelo all'estrema destra nel *Cristo con gli strumenti della Passione* del Museo Civico di Udine, del 1496.

29. QUATTRO GENTILUOMINI (1335)

167 × 254. Penna e inchiostro bruno, pennello e acquerello bruno su carta azzurra, rialzato a biacca. *Verso*: Sedici figure in due gruppi. Scritte sul *verso* a penna e inchiostro bruno, *Tintoretto* cancellato e

sostituito da *Mantegna*, grafia del XVIII (?) secolo. COLL.: v. n. 1. BIBL.: Van Marle, 1936, XVIII, p. 350 (come Carpaccio); Tietze-Tietze Conrat, 1944, n. 252 tav. XIV, 1 (come Lazzaro Bastiani); Lauts, 1962, n. 82, tav. XI a-b (come forse di Lazzaro Bastiani); Jaffé, 1962, p. 234; Pignatti, 1963, p. 48 (come Bastiani); Muraro, 1966, p. 112; Sutton, 1976, p. 244, fig. 4; Muraro, 1977, pp. 19, 73, figg. 79-80 (come seguace del Carpaccio). ESP.: Amsterdam, 1934, n. 513; Parigi 1935, n. 535; Parigi-Rotterdam-Haarlem, 1962, n. 34, tav. XXVIII.

Questo bel disegno, pubblicato come opera del Carpaccio dal Van Marle, fu attribuito dai Tietze a Lazzaro Bastiani, opinione condivisa (con alcune riserve) dal Lauts e dal Muraro. Tra i dipinti del Bastiani il piú prossimo al Carpaccio è il *Miracolo della reliquia della Croce* delle Gallerie dell'Accademia, con la veduta di S. Giovanni Evangelista. Vi sono raffigurati, in primo piano, dei gruppi di personaggi veneziani che ricordano vagamente quelli del nostro disegno; ma le figure del dipinto sono meno ben proporzionate, hanno i corpi eccessivamente allungati e pose piú rigide. Per parte mia, preferisco la vecchia attribuzione al Carpaccio e non vedo ragioni sufficienti a giustificare l'opinione dei Tietze. Essi parlano giustamente, a proposito del nostro disegno, di «figure prive di corpo, con pieghe rigide»; ma l'abito dei patrizi veneti non era esattamente rivelatore e cosa c'è di piú rigido delle vesti dei tre vescovi del disegno del British Museum (Popham-Pouncey, 1950, I, n. 32) che è, e lo si può dimostrare, uno studio per la serie di S. Orsola? Il disegno dell'Ashmolean Museum di Oxford con *Tre gentiluomini veneziani* (Parker, 1956, n. 8, tav. IV; Lauts, 1962, n. 39, tav. IV a-b; Muraro, 1977, p. 67, figg. 81-82) è anch'esso sicuramente della stessa mano e di eccellente qualità e, sebbene i Tietze (e il Pignatti) lo releghino tra le opere di scuola (Tietze-Tietze Conrat, 1944, n. 649, tav. XXV, 3; Pignatti, 1963, pp. 52-53), essi giustificano poi le corrispondenze con i dipinti del Carpaccio solo supponendo che le figure in questione siano «copie da modelli piú antichi usati dal maestro». *Per la provenienza si veda la scheda n. 1.*

30. SUONATORE D'ORGANO (1370)

151 × 189. Penna e inchiostro bruno. *Verso*: annotazioni musicali. COLL.: v. n. 1. BIBL.: Tietze-Tietze Conrat, 1944, n. A. 609, tav. CLXXXVIII, 3; Jaffé, 1962, p. 234; Pignatti, 1963, p. 48 (come certa-

mente non del Carpaccio); Muraro, 1977, p. 73, fig. 121. ESP.: Amsterdam, 1934, n. 459 (come Artista veneziano c. 1500); Parigi, 1935, n. 725; Parigi-Rotterdam-Haarlem, 1962, n. 28, tav. XXIV (come Giovanni Bellini).

Disegno esposto nel 1962 come opera di Giovanni Bellini (attribuzione suggerita da C. Ricketts nel 1928); ma C. Sterling, nel catalogo della mostra di Parigi del 1935, e i Tietze vi hanno notato un legame col Carpaccio. Per parte mia, vorrei andare oltre e proporre decisamente l'attribuzione al Carpaccio per confronto con il *verso* del *Concerto* del British Museum, ove è raffiguratoqno *Studioso allo scrittoio* (Popham-Pouncey, 1950, I, n. 38; Muraro, 1977, pp. 50-51, fig. 33), e, meglio ancora, con due disegni (*recto* e *verso* del medesimo foglio) del Museo Puškin di Mosca (Venezia, 1963-I, n. 10; Muraro, 1977, p. 61, figg. 34-35) di soggetto simile al *verso* del disegno, già ricordato, del British Museum. Le annotazioni musicali sul *verso* del nostro disegno vanno confrontate con la grafia sul retro di un disegno del Louvre: la *Madonna col Bambino e quattro Santi* (Lauts, 1962, n. 43, tav. VIII C; Muraro, 1977, pp. 69-70, fig. 59), che è certamente quella del Carpaccio; e inoltre con il libro e il foglio di musica aperti in primo piano a destra nella *Visione di S. Agostino* di S. Giorgio degli Schiavoni. Quanto al soggetto, si è pensato ad una S. Cecilia, ma la figura è certamente maschile. *Per la provenienza si veda la scheda n. 1.*

Liberale da Verona
c. 1445 - c. 1526

31. TRIONFO DELLA CASTITÀ (1346)

188 × 338. Penna e inchiostro bruno. COLL.: v. n. 1. BIBL.: Jaffé, 1962, p. 234; Ruhmer, 1962, p. 187, fig. 4; Muraro, 1977, p. 73, fig. 111; Byam Shaw, 1978-I, IV, tav. 11. ESP.: Parigi-Rotterdam-Haarlem, 1962, n. 33, tav. XXIX (come Carpaccio).

L'attribuzione del Berenson (lettera a F. Lugt del 6.1.1939) al Carpaccio fu probabilmente suggerita da una certa somiglianza con un dipinto del Musée Jacquemart-André di Parigi, l'*Ambasciata delle Amazzoni a Teseo* (Lauts, 1962, n. 64, tav. 87), ma non venne accettata né dal Lauts (1962) né dal Muraro. Il disegno è in realtà troppo manierato per essere del Carpaccio, soprattutto nel panneggio svolazzante delle vesti delle damigelle. La mia attribuzione a Liberale da Verona (lettera a F. Lugt del 14.11.1938) si basa sul confronto con disegni dell'Ermitage di Leningrado (Dobroklonsky, 1929, pp. 3-4, tav. 9) e degli Uffizi (Byam Shaw, 1931, p. 28, tav. 21) nei quali il panneggio ondeggiante è reso esattamente come nel nostro disegno. Tra i dipinti di Liberale esiste al Museo di Castelvecchio di Verona (Berenson, 1968, I, p. 214) un frontale di cassone — con il *Trionfo della Castità* a sinistra e il *Trionfo dell'Amore* a destra — che rivela sorprendenti analogie col nostro foglio nelle figure degli unicorni e nei gruppi di damigelle. In questo disegno non vi è nulla dello stile sgradevole della produzione tarda di Liberale: esso va invece sicuramente collegato con le opere giovanili, eseguite lontano da Verona, come le belle miniature dei corali della Cattedrale di Chiusi, degli anni 1466-1469, destinati al Convento Benedettino di Monte Oliveto Maggiore (Berenson, 1968, I, p. 210; Del Bravo, 1967, pp. II-XV), e di quelli della Libreria Piccolomini, eseguiti per la Cattedrale di Siena tra il 1469 e il 1475 (Berenson, 1968, I; pp. 211-213; Del Bravo, 1967, pp. XVI-LXXXVIII). Assai prossima nello stile al nostro disegno è anche una miniatura di *Cristo benedicente un gruppo di Santi* (Suida, 1947, p. 31, fig. 8), già nella collezione R. Kann, che è chiaramente dello stesso periodo, quando Liberale era poco piú che ventenne. È evidente che il suo stile evolse molto precocemente (anche prima della partenza da Siena) verso quei contorcimenti dei visi e dei drappeggi che sono tipici della sua maniera piú nota; si veda, ad esempio, la miniatura con *S. Pietro liberato dall'angelo* di Siena (Grad. 12. f. 2 *recto*; Carli, 1960, tav. XXI; Berenson, 1968, I, p. 212), dove il panneggio è molto piú manierato che nel nostro disegno. Vi è una certa somiglianza, solo superficiale, tra questo foglio e quello del Musée Bonnat di Bayonne, con il *Trionfo di un sovrano dell'antichità* (Bean, 1960, n. 30; Ruhmer, 1962, p. 187, fig. 5), per il quale il Pouncey ha proposto il nome del vicentino Marcello Fogolino; ma non penso che la mano sia la stessa. *Per la provenienza si veda la scheda n. 1.*

Pittore dell'Italia settentrionale, c. 1500

32. STUDIO DI ARMATURA PER UN S. MICHELE (4144)

320 × 210. Punta di pennello e acquerello azzurro, su fondo azzurro, rialzato a biacca; controfondato. COLL.: v. n. 16. ESP.: Amsterdam, 1934, n. 461 (come Italia settentrionale, c. 1500); Parigi, 1935, n. 737.

L'attribuzione del Berenson a Morto da Feltre era forse ispirata da una certa somiglianza con il S. Liberale della pala con la *Madonna col Bambino e i SS. Stefano e Liberale* degli Staatliche Museen di Berlino, firmata e datata 1511 (Berenson, 1957, vol. I, p. 20, II, tav. 719). Tuttavia, la figura del nostro disegno sembra di tipo un po' troppo arcaico per essere di quel seguace di Palma il Vecchio, e ricorda piuttosto il S. Michele della pala di Francesco Bassano il Vecchio nella Chiesa di Solagna, presso Vicenza (Berenson, 1957, I, p. 15, tav. 515), un dipinto ancora arcaicizzante, anche se datato 1520. Nel 1977, in occasione della rimozione del supporto, si scoprí sul retro del disegno una seconda foderatura, piú antica, composta di due pezzi di carta, uniti, con le prove di stampa di due incisioni del tardo XV secolo: l'*Incoronazione di spine*, con (sotto) *S. Luigi di Francia che dona una spina della corona a Bartolomeo de Bragantiis, Vescovo di Vicenza* (Hind. 1938-1948, II, pp. 264-265 E. III. 46, IV, tav. 434) e *Cristo sulla Croce con S. Caterina da Siena e S. Margherita d'Ungheria*, una variante non descritta di una stampa unica, già nella collezione Trivulzio, pubblicata dall'Hind (1938-1948, II, F. 5, IV, tav. 462). Il fatto che ambedue le incisioni siano vicentine potrebbe far pensare che anche il disegno provenga dal medesimo ambiente. Si potrebbe forse fare il nome di Giovanni Speranza, un allievo di Bartolomeo Montagna (cfr. Berenson, 1957, I, pp. 166-167, tavv. 505-509, specialmente tav. 506). M. Meiss (comunicazione orale del 1950) ha proposto un'attribuzione a Lorenzo Costa. *Per la provenienza si veda la scheda n. 1.*

Pittore dell'Italia settentrionale, c. 1500

33. RITRATTO VIRILE (6952)

177 × 134. Penna e inchiostro bruno. COLL.: P. Lely (L. 2092); J. Richardson senior (L. 2184); J.W. Böhler; F. Lugt (L. 1028); acquistato nel 1957. ESP.: Parigi-Rotterdam-Haarlem, 1962, n. 39, tav. XXXIII (attr. a D. Ghirlandaio).

Attribuito a Domenico Ghirlandaio da J.Q. van Regteren Altena (comunicazione orale del 1957) che pensava potesse raffigurare Angelo Poliziano. A mio avviso, il disegno non è certamente fiorentino, ma forse lombardo o veronese. Il tipo fisionomico ricorda abbastanza da vicino Lodovico il Moro, Duca di Milano, come fu ritratto, verso la fine del secolo, nella famosa *Pala Sforzesca* della Pinacoteca di Brera (di anonimo lombardo, c. 1495; cat. 1977, n. 310). Si veda anche il monumento funerario nella Certosa di Pavia, del 1497, e i due ritratti assegnati ad Ambrogio de' Predis del Castello Sforzesco (Kiel, 1930, p. 446; Suida, 1936, p. 58; quest'ultimo è una miniatura). Se l'identificazione del soggetto è esatta, allora l'artista potrebbe essere milanese; lo stile del disegno, tuttavia, non è quello dei seguaci milanesi di Leonardo a quel tempo e il ritratto potrebbe quindi esser stato eseguito in altra località dell'Italia settentrionale. L'attribuzione a Francesco Bonsignori, suggerita da Frits Lugt, è abbastanza plausibile, ma io penserei piuttosto a un medaglista della generazione successiva a quella del Pisanello. Lo si confronti, ad esempio, con la medaglia anonima, databile c. 1495-1496, riprodotta nel *Corpus* del Hill del 1930, al n. 646. Si veda anche Hill, 1930, nn. 647, 651, 654; Hill-Pollard, 1967, n. 189; e la medaglia di Cristoforo Caradosso (Hill-Pollard, 1967, n. 191).

Battista Franco

1498 - 1561

34. MADONNA COL BAMBINO (3636)

125 × 111. Penna e inchiostro bruno, controfondato. COLL.: J. Richardson senior (L. 2183); J. Barnard (L. 1420); S. Meller; F. Lugt (L. 1028); acquistato nel 1928.

Precedentemente assegnato a Baldassarre Peruzzi. L'attribuzione del Popham (comunicazione orale del 1928) a Battista Franco è chiaramente esatta. Nella *Sacra Famiglia con S. Giovanni Battista* dell'Albertina (Stix e Fröhlich-Bum, 1926, n. 140) si osserva lo stesso tipo di tecnica a penna, piuttosto esuberante, e il viso del S. Giovannino è quasi identico a quello del Bambino Gesù di questo foglio.

35. LA MADONNA SVENUTA E SORRETTA DALLE PIE DONNE (4025)

175 × 180. Carboncino; centinato e controfondato. *Verso*: studio di mano a sanguigna. Sul *recto*, a penna e inchiostro bruno, grafia del XVIII secolo, *Raffaelle*. COLL.: W. Bateson (L. 2604 A); F. Lugt (L. 1028); acquistato nel 1929. BIBL.: Cox Rearick, 1964, n. A 429 (come B. Franco).

Studio preparatorio per il gruppo a destra nello sfondo del *Cristo che cade sotto la Croce*, un dipinto di Battista Franco firmato e datato 1552, già a Venezia nella collezione Manfrin (Rearick, 1959, pp. 113-114, fig. 3), e dal 1975 agli Uffizi (inv. 9490; sono grato alla Dott. Rita Parma per avermi segnalato il recente acquisto del dipinto e per avermi informato dell'esistenza in Palazzo Venezia a Roma, di un piatto di maiolica di Urbino che riproduce l'intera composizione). Malgrado lo stile piuttosto libero del disegno, la corrispondenza con il dipinto è puntuale: solo le teste non sono state studiate nei particolari. Non mi è stato possibile scoprire per quale opera sia stato usato lo studio di mano del *verso*, esso potrebbe essere in rapporto con una delle acqueforti originali del Franco. La mano è molto simile, anche se non identica, a quella (la destra nella stampa) del S. Giuseppe addormentato nella *Sacra Famiglia* (Bartsch, XVI, n. 27). La corretta attribuzione di questo eccellente disegno e la segnalazione del rapporto con il dipinto si devono a A.E. Popham (comunicazione orale del 1952). Nel Museo di Kassel esiste una versione autografa del quadro, di dimensioni un poco maggiori e con alcune varianti (Lehmann, 1980, pp. 126-127, n. 80).

Tiziano Vecellio
c. 1480? - 1576

36. MIRACOLO DEL NEONATO (1502)

144 × 307. Penna e inchiostro bruno, acquerello bruno; controfondato. In basso a sinistra, a penna e inchiostro bruno, grafia del XVIII secolo, *Gorgion de C*; sul supporto, a penna e inchiostro bruno, grafia degli inizi del XVII secolo, *Tiziano* e, in basso a sinistra, a penna e

inchiostro nero, di mano del Locker, *Frederick Locker / bought at D-Wellesley's Sale July 1866.* COLL.: N. Lanier (L. 2885); R. Cosway (L. 629); C.M. (L. 598 o Suppl. L. 598 a, dove è dubitativamente riferito a Conrad Metz, 1749-1827); H. Wellesley; F. Locker (L. 1692); G. Locker-Lampson; S.R. Hibbard; C. Ferrault; F. Lugt (L. 1028); acquistato nel 1924. BIB.: Crowe e Cavalcaselle, 1877-1878, I, pp. 108,109; Locker-Lampson, 1886, p. 224; Von Hadeln, 1913, pp. 228-229; Venturi, 1927, p. 241; 1928, 9, III, p. 192, fig. 71; Tietze-Tietze Conrat, 1936, p. 155; Richter, 1937, p. 234; Tietze-Tietze Conrat, 1944, n. A. 1921; Morassi, 1956, p. 19; Wethey, 1969-1975, I, p. 129, III, n. 93 (come copia dell'affresco); Levenson-Oberhuber-Sheehan, 1973, p. 415; Christian, 1975, pp. 336-337; Oberhuber, 1976, pp. 23-24, 62, 70, 121, fig. 5; Meijer, 1976, n. 2, tavv. 2-3; Pignatti, 1976-I, pp. 268, 270; 1977, p. 168; Rearick, 1977, pp. 178-179; Ballarin, 1977, pp. 69-71; Muraro, 1978, p. 136; Pignatti, 1979, n. X, tav. Xa; Oberhuber, 1980, p. 524; Ballarin, 1980, p. 499; Byam Shaw, 1980, p. 390. ESP.: Manchester, 1857, n. 66; Amsterdam, 1934, n. 685; Parigi-Rotterdam-Haarlem, 1962, n. 73, tav. LV; Firenze, 1976-III, n. 2, fig. 2a; Parigi, 1976, n. 2, tavv. 2-3.

Il disegno corrisponde puntualmente, ma con alcune varianti, all'affresco della Scuola del Santo di Padova, del 1510-1511, una delle prime opere databili di Tiziano. Le differenze piú notevoli sono le seguenti (da sinistra a destra): a) nel dipinto il pantalone dell'uomo col mantello, che incede da sinistra, è a striscie; b) il quarto uomo da sinistra — quello che nel disegno indica il bambino con la mano destra — nel dipinto è vestito diversamente, ha i capelli lunghi e le sue mani non sono visibili; c) il padre, che il neonato sta indicando, nell'affresco porta un cappello; d) la madre, nel dipinto, ha i capelli raccolti in una rete. Per il resto la corrispondenza è cosí precisa — malgrado la libertà di esecuzione del disegno — che i Tietze, il Wethey e altri studiosi hanno condannato il foglio come copia dell'affresco; e per spiegare quelle che essi definiscono «discrepanze insignificanti» hanno pensato a delle ridipinture in quei punti. Informa infatti il Gonzati (1854, p. 281; Wethey, 1969-1975, I, p. 129) che nel 1748 gli affreschi furono effettivamente restaurati e ridipinti da Francesco Zannoni. Cionondimeno, il disegno mi sembra talmente spontaneo — la testa del padre, ad esempio, è forse migliore che nel dipinto — che sono incline a ritenerlo il modello originale, autografo di Tiziano. Per lo stile è paragonabile al disegno dell'Ecole des Beaux-Arts di Parigi

(Venezia, 1976, n. 68; come Domenico Campagnola), spesso considerato preparatorio per un altro degli affreschi di Tiziano alla Scuola del Santo: il *Miracolo del marito geloso.* Quel disegno è considerato opera di Tiziano da molti critici (inclusi i Tietze), ma, a mio avviso, è meno buono del nostro. Qui la singolare descrizione dei visi — occhio, nasi e bocche — sembra esser stata letteralmente tradotta in pittura nell'affresco, anche dove vi è solo una generica somiglianza di forma; tanto che mi è difficile credere che sia successo proprio il contrario e che il disegno sia stato copiato dal dipinto da una mano diversa. Il Rearick e il Ballarin sono giunti (indipendentemente) all'interessante conclusione che il disegno venduto nel luglio del 1969 a Londra, da Christie's (lotto 122, come «attribuito al Peruzzi»; ubicazione attuale ignota) costituiva un tempo la quarta parte superiore sinistra del foglio originale. Vi si notano la sommità di tre delle teste del nostro disegno, la statua di un imperatore romano e, dietro, un muro con un arco e una nicchia. Tutto ciò corrisponde con sufficiente esattezza all'affresco; nel disegno, tuttavia, a destra dell'arco il muro si prolunga ancora, mentre nel dipinto è troncato bruscamente, ma è probabile che questa zona dell'affresco sia stata pesantemente ridipinta. Quanto affermato dal Rearick è innegabile. Lo stile dei due disegni è assolutamente identico, il grado di discrepanza tra disegno e dipinto è lo stesso e l'attribuzione non viene né contraddetta né confermata dalla scoperta. Un giorno, forse, la parte mancante di quello che era un tempo un foglio grandissimo, e cioè il quarto con le colline e gli alberi, potrà venir scoperto e presentato come un paesaggio a se stante. Il Ballarin ha sottoposto ad un esame minuzioso il disegno e il suo rapporto con l'affresco, giungendo alla conclusione che si tratta certamente di opera autografa di Tiziano, databile esattamente prima dell'aprile 1511 e dopo il 1 dicembre 1510 poiché il contratto che reca quella data menziona un soggetto diverso per lo spazio ora occupato dal *Miracolo del neonato.*

Giulio Campagnola
c. 1482 - c. 1515

37. TRE FILOSOFI IN UN PAESAGGIO (1978-T. 21)

183 × 274. Penna e inchiostro bruno su carta brunastra; controfondato. Sul supporto, a matita, grafia del XIX secolo, *GIORGIONE.*

COLL.: collezionista anonimo (vendita, Londra, Sotheby's, 24.11.1974, n. 4, ripr. p. 47 come Domenico Campagnola); R. Day; collezionista anonimo (vendita, Londra, Christie's, 29.11.1977, n. 37, come Cerchia di Giorgione); acquistato nel 1977. BIBL.: Meijer, 1974, p. 92. ESP.: Londra, 1976, n. 5.

Il disegno è un ottimo esempio di «giorgionismo»: di quei paesaggi dal sapore romantico, con figure spesso misteriose e immerse in discussioni filosofiche, i quali hanno nei *Tre filosofi* di Vienna il loro modello piú illustre. A diffondere questo genere, nei primi due decenni del XVI secolo, contribuirono sicuramente le incisioni di Giulio Campagnola, che taluno ritiene basate, almeno in parte, su modelli dello stesso Giorgione. Il nostro disegno presenta delle affinità con molte stampe del Campagnola, non solo nel carattere generale, ma anche nei particolari. Il soggetto è molto simile a quello dell'*Astrologo* (Hind, 1938-1948, V, n. 9, VII, tav. 777), datato 1509; il fogliame, stranamente «laminato» dei cespugli è quasi identico a quello dello sfondo del *S. Giovanni Battista* (Hind, 1938-1948, n. 12, tav. 780), del *Cervo in riposo* (Hind, 1938-1948, n. 14, tav. 782), della *Donna coricata in un paesaggio* (Hind, 1938-1948, n. 13, tav. 781) o della *Samaritana* (Hind, 1938-1948, n. 11, tav. 779). Il cielo è reso proprio come in due delle stampe citate; e quando Giulio non copia i suoi sfondi da qualche incisione giovanile di Dürer, vi introduce delle case rustiche in rovina simili a quelle del nostro disegno. Edifici del genere si ritrovano anche in dipinti di Giorgione, come la *Madonna di Castelfranco* e il *Tramonto* della National Gallery di Londra. Tra i disegni già attribuiti a Giulio, almeno tre mi sembrano sicuramente della stessa mano del nostro; a) *Paesaggio con un mulino sulle rive di un fiume*, degli Uffizi (Firenze, 1976-I, n. 8, fig. 10; Venezia, 1976, n. 4), attribuito al Campagnola dal Kristeller (1907, p. 14, tav. XXVI), seguito poi da Fiocco, Hadeln, i Tietze, Zampetti, Forlani Tempesti, Oberhuber e Rearick; b) *Paesaggio con uomini che conducono un asino*, del Louvre (Venezia, 1976, n. 3); c) *Paesaggio con due uomini seduti in un boschetto*, pure del Louvre (Kristeller, 1907, p. 13, tavv. VIII, XXIII-XXIV; Von Hadeln, 1925, n. 7, Venezia, 1976, fig. 3). Quest'ultimo disegno, parzialmente perforato per lo spolvero, è preparatorio per quella che è presumibilmente l'ultima incisione di Giulio (Hind, 1938-1948, n. 6, tav. 773) e corrisponde esattamente alla stampa, fuorché per le figure che furono terminate (probabilmente dopo la sua morte) da Domenico Campagnola, suo figlio adottivo. Mi sembra quindi superfluo cercare ulteriori conferme all'attribuzione del nostro foglio.

38. PAESAGGIO CON COLLINA ALBERATA (7218)

180 × 243. Penna e inchiostro bruno, su carta azzurra; sul cielo alcune linee ricoperte, non completamente, con biacca in parte ossidata; controfondato. In basso, a penna e inchiostro bruno, *Di Domenico Campagnola*; sul supporto, a matita, grafia del XIX secolo *D. Campagnola* e sotto, in parte cancellato, forse di mano dello Skippe *Domenico Campagnola*. COLL.: P. Lely (L. 2092); J. Skippe (v. L. 1529 a-b); P. Skippe Martin; E. Holland; Mrs A.C. Rayner Wood; E. Holland-Martin; F. Lugt (L. 1028); acquistato nel 1958. BIBL.: Skippe, c. 1800-1812, *Disegni*, II, n. 38. ESP.: Parigi, 1976, n. VI (non in catalogo).

Disegno tipico del Campagnola, ma piú schematico nella resa e sicuramente piú tardo del n. 39.

39. PAESAGGIO ROCCIOSO CON UN FITTO BOSCO (1503)

238 × 362 (compresa la striscia aggiunta in alto). Penna e inchiostro bruno; incorniciato con quattro linee a penna e inchiostro bruno scuro; controfondato. COLL.: P.J. Mariette (L. 1854); H. Wellesley; F. Locker (v. L. 1692); G. Locker-Lampson; S.R. Hibbard; C. Ferrault; F. Lugt (L. 1028); acquistato nel 1924. BIBL.: Godefroy, 1925, p. 50 (come Tiziano); Venturi, 1927, p. 241; Tietze-Tietze Conrat, 1936, p. 178; 1944, n. 1990. ESP.: Parigi, 1976, n. V (non in catalogo).

Ritenuto dal Godefroy uno studio di Tiziano per la sua silografia con *S. Girolamo nella solitudine* (Mauroner, 1943, pp. 49-50, tav. 31; Muraro-Rosand, 1976, n. 29, tavv. 67-68). I Tietze rifiutano sia l'attribuzione, sia il rapporto con la stampa e suggeriscono, molto plausibilmente, che si tratti invece di un'opera giovanile di Domenico Campagnola. Lo si confronti con il disegno firmato del British Museum (Tietze-Tietze Conrat, 1944, n. 487, tav. LXXVII, 2), molto simile nello stile, anche se migliore. Un disegno di carattere analogo al nostro e con lo stesso tipo di composizione si trova ora nella collezione Landolt di Coira (vendita, Lipsia, C.G. Boerner, 9-10.5.1930, n. 89, tav. XIII). Questi disegni vengono spesso attribuiti a Tiziano, ma la firma su quello del British Museum è decisiva: si tratta in realtà di opere del Campagnola del periodo in cui l'artista era particolarmente vicino al maestro e il suo stile era molto migliore e meno manierato di quello dei suoi paesaggi piú tardi, ben piú frequenti e piuttosto convenzionali. Si veda anche il bel foglio del British Museum, proveniente dalla collezione Fenwick (Popham, 1935, n. 8, tav. XXVIII).

40. PAESAGGIO CON SATIRO E SUONATRICE (7528)

161 × 236. Penna e inchiostro bruno. Scritta in basso a sinistra, a penna e inchiostro bruno scuro, con grafia del XVIII sec.: *Campagnole*. Sul *verso*, a matita, *2*. COLL.: J. MacGowan (L. 1496); J. Rushout; G. Rushout; Lady Northwick; E.G. Spencer Churchill; H.S. Reitlinger (L. 2774 a); A. Scharf; F. Lugt (L. 1028); acquistato nel 1961. ESP.: Parigi, 1976, n. VII.

Disegno tipico di Domenico Campagnola, anche se vi si avverte una certa goffaggine; ancora tizianesco nel soggetto, ma non piú nello stile. È interessante confrontarlo con il foglio, di analogo soggetto, del British Museum (Tietze-Tietze Conrat, 1944, n. 1928, tav. LXI, 1; Wethey, 1969-1975, III, p. 15, tav. 4) ove è raffigurato un robusto pastore, con uno strumento molto simile, e una donna col flauto, apparentemente copiata dal famoso *Concerto campestre* del Louvre. Il quadro è ora generalmente ritenuto opera congiunta di Giorgione e Tiziano e il foglio del British Museum potrebbe essere una copia antica di un disegno di Tiziano: le forme ricordano da vicino la maniera del maestro, ma l'esecuzione, specialmente nel paesaggio, è piuttosto debole. Suggerisco l'ipotesi che il copista fosse Domenico Campagnola giovane e che il nostro disegno sia una sua tardiva reminiscenza del medesimo tema.

41. PAESAGGIO CON CITTÀ SULLE RIVE DI UN LAGO (1052)

237 × 387. Penna e inchiostro bruno, controfondato. Sul supporto, a penna e inchiostro bruno, annotazione del prezzo, *1.3* (=5/-) e *Campagnolo*, ambedue probabilmente di mano del Gibson († 1703). COLL.: P. Lely (L. 2092); W. Gibson (v. L. Suppl. n. 2885); W. Esdaile (L. 2617); Richeton; F. Lugt (L. 1028); acquistato nel 1923. BIBL.: Tietze-Tietze Conrat, 1944, n. 783 (come Costantino Malombra). ESP.: Amsterdam, 1934, n. 506; Parigi, 1976, n. VIII.

Il disegno potrebbe far parte della serie di paesaggi del Christ Church College di Oxford (Byam Shaw, 1976-I, I, nn. 723-730, II, tavv. 421-424, 426), tutti (fuorché uno) provenienti, come il nostro, dalla collezione Lely. Non comprendo perché i Tietze lo abbiano attribuito a Costantino Malombra, un pittore attivo a Padova alla fine del XVI secolo e noto solo per alcune incisioni: se questo disegno è davvero suo, allora lo devono essere anche molti altri che sono comunemente ritenuti del Campagnola. Sarà utile osservare che nel libro dei Tietze il disegno riprodotto a tav. LXXXI.4 non è quello del quale ci stiamo occupando e che è descritto al n. 783. Si tratta, comunque, di un tipico esempio della maniera tarda di Domenico Campagnola.

Pittore bresciano, c. 1530

42. SUONATRICE DI LIUTO (1352)

221 × 145. Penna e inchiostro bruno con tracce di acquerello verde-azzurro, rialzato a biacca su carta verde-grigio (in origine azzurra?). COLL.: F. Calzolari (?), L. Moscardo; L. Grassi (L. 1171 b); F. Lugt (L. 1028); acquistato nel 1923. ESP.: Parigi, 1976, n. I (non in catalogo).

Bel disegno, stilisticamente vicino a Girolamo Romanino; ma l'attribuzione a questo artista, suggerita dal Ricketts e dal Friedländer (comunicazione orale del 1928), si basava forse sul soggetto e sull'abito piú che non sul carattere grafico. Figure simili a questa si ritrovano negli affreschi del Romanino del Castello del Buonconsiglio di Trento — nelle lunette della Loggia Grande (si veda il valido articolo del Morassi in «Bollettino d'Arte» del 1930, p. 311 sgg. e il catalogo della mostra di Brescia del 1965) — ma nessuno dei disegni a penna assegnati al Romanino è particolarmente vicino a questo nello stile. Non saprei suggerire un'attribuzione migliore di questa, che non posso escludere sia esatta. Il disegno potrebbe essere della stessa mano dello studio di *Carnefice* di Chatsworth (Londra, 1973, n. 60, tav. 60), attribuito ad un seguace del Romanino: Callisto Piazza, detto Callisto da Lodi, ma che potrebbe altrettanto bene essere proprio del Romanino. *Per la provenienza si veda la scheda n. 1.*

43. NUDO VIRILE (7217)

207 × 176. Sanguigna, carboncino e qualche traccia di gessetto su carta azzurra; controfondato. Scritta, a penna e inchiostro, di mano quasi contemporanea; *Bassan*. COLL.: J. Skippe (v. L. 1529 a-b); P. Skippe Martin; E. Holland; Mrs. A.C. Rayner Wood; E. Holland-Martin; F. Lugt (L. 1028), acquistato nel 1958. BIBL.: Tietze-Tietze Conrat, 1944, A. 103; Popham, 1958, p. 20. ESP.: Parigi-Rotterdam-Haarlem, 1962, n. 117, tav. LXXXVI; Parigi, 1976, n. II.

Nella collezione Skippe vi era una serie piuttosto numerosa di disegni, attribuiti a «Bassano» nel catalogo di vendita (Londra, Christie's, 20-21.11.1958, nn. 19, 20, 25, 28, 29, A-B, 30 a, 33 a; New York, 1961, nn. 13, 15, 16 e 18), dieci dei quali recavano la stessa scritta a inchiostro che figura anche sul nostro disegno. Il Popham non cercò di distinguere le mani dei cinque membri della famiglia dei Bassano — Jacopo e i suoi quattro figli — ma l'attribuzione a Jacopo di questo come di vari altri studi (di figure e di animali) dello stesso gruppo sembra accettabile. Nel Museo Boymans-van Beuningen di Rotterdam esiste uno studio di nudo virile (solo del dorso e delle braccia; inv. I.54) molto simile al nostro.

44. AIRONE (5469)

161 × 99. Carboncino con tracce di sanguigna e tocchi di pennello; incorniciato da quattro linee a matita. Scritta, in alto a sinistra in penna e inchiostro bruno con grafia del sec. XVIII: *d'Udine* e numerato *200*. COLL.: V. Koch; F. Lugt (L. 1028); acquistato nel 1938.

Disegni di soggetto simile a questo sono stati spesso attribuiti a Giovanni da Udine, poiché è noto che egli aveva collaborato con Raffaello alla decorazione delle logge vaticane, dove sono raffigurati vari tipi di uccelli; in questo caso, tuttavia, l'attribuzione non mi sembra giustificata. L'animale (*Ardea cinerea*) è molto ben descritto e il disegno è di eccellente qualità. Lo stile e la tecnica mi fanno decisamente pensare a Japoco Bassano, anche se, tra i molti uccelli e animali rappresentati nelle tele uscite dalla sua bottega, non mi è riuscito di scoprire alcun airone: nemmeno tra i candidati all'ingresso nell'arca di Noè! Lo si confronti, comunque, con lo studio di *Segugio*, a gessetti colorati, della Walker Art Gallery di Liverpool (Liverpool, 1967, p. 9, n. 257; cfr. Ballarin, 1964, pp. 55-72). Due uccelli come questo sono raffigurati in un grande disegno, accuratamente finito ad acquerello, degli Uffizi (Firenze, 1976-II, I, n. 45, fig. 42, 1980, n. 7.81), acquistato nel 1654 a Bologna dal Cardinale Leopoldo de' Medici come opera di Giovanni Antonio Pordenone. Quel foglio, ora attribuito ad «*Anonimo Veneto (sec. XVI)*», offre un interessante termine di confronto con il nostro, ma non è necessariamente della stessa mano.

Leandro Bassano

1557 - 1622

45. RITRATTO D'UOMO (5482)

285 × 193. Gessetti colorati (nero, rosso, bruno, giallo e bianco) con tracce di acquerello su carta azzurra. Scritta sul verso, di grafia quasi coeva a penna e inchiostro bruno: *434 lapis*. COLL.: Z. Sagredo (?); Borghese (?); M. de Marignane (v. L. 1872); H.M. Calmann; R. Rudolf (v. L. 2811 b); F. Lugt (L. 1028); acquistato nel 1938. BIBL.: Tietze-Tietze Conrat, 1944, p. 58; Ballarin, 1971, pp. 144-151, fig. 13; New York, 1975-76, n. 7; Washington D.C. - Fort Worth - St. Louis, 1974-75, n. 25; Pignatti, 1976-II, n. 46. ESP.: Parigi, 1976, n. III (non in catalogo).

Questo disegno e il successivo fanno parte di un considerevole gruppo di ritratti veneziani, tutti a gessetti colorati su carta azzurra e di dimensioni quasi identiche, che i Tietze per primi descrissero come opera di Leandro Bassano al tempo in cui almeno dieci di quei fogli si trovavano a Parigi nella collezione di M. de Marignane (Tietze-Tietze Conrat, 1944, nn. 194, 225, 233-242). Altri — dell'Ashmolean Museum di Oxford (Parker, 1956, n. 111) e del British Museum (Popham, 1935, p. 39, tav. XXVI; Tietze-Tietze Conrat, 1944, n. 210, tav. CXLIX, 3; Ballarin, 1971, pp. 150-151: dello stesso soggetto e dello stesso autore del ritratto della National Gallery of Ireland di Dublino, Londra, 1967, n. 18; Ballarin, 1971, p. 150) — possono essere ricondotti a

38

raccolte piú antiche e si ritiene generalmente che l'intera serie provenga dalla famosa collezione Sagredo, formata a Venezia tra il 1650 e il 1700. Sir Karl Parker, che nel 1936 (1936-II, pp. 27-28, tav. 22) aveva pubblicato come di Carletto Caliari uno dei due disegni dell'Ashmolean Museum — in base alla vecchia scritta *Carleto* sul foglio del British Museum — aderí poi all'opinione dei Tietze e assegnò a Leandro Bassano i nn. 111-112 del suo catalogo dell'Ashmolean del 1956. Successivamente, il Ballarin, l'Oberhuber (Washington-New York, 1973-74, pp. 133, 136-137, n. 110), il Rearick (Washington-New York, 1973-74, p. 137) e il Pignatti hanno tutti sostenuto l'attribuzione a Carletto Caliari. Questo artista, figlio di Paolo Veronese, morí a soli 26 anni. Il ritratto del British Museum (quello con la scritta *Carleto*) ha sul supporto un'annotazione del Richardson che segnala la presenza sul *verso* (ora coperto) del foglio di un'iscrizione piú antica che identifica nel soggetto Paolo Paruta, Procuratore di S. Marco, detto il «Catone» veneziano. Nella nota del Richardson è detto che il Paruta morí nel 1568, il che invaliderebbe l'attribuzione a Carletto (1570-1596) che, a quel tempo, non era ancora nato. In realtà la data è sbagliata e il Paruta morí invece nel 1598; il Caliari avrebbe quindi potuto — a vent'anni o giú di lí — disegnarne il ritratto. È opinione generale (anche se non condivisa dal Parker) che tutti i ritratti su carta azzurra di questo stile siano della stessa mano. Non ne sono del tutto convinto. Alcuni sono in condizioni migliori di altri, il che rende piú difficile la decisione; ma altri — e soprattutto il *Paruta* del British Museum, uno dei disegni di Oxford (Parker, 1956, n. 112, tav. XXXIII) e il *Ritratto di ecclesiastico* della collezione Prasse (Tietze-Tietze Conrat, 1944, n. 225; Arslan, 1960, I, p. 263; Washington - Fort Worth - St. Louis, 1974-1975, n. 25 ed è dalla riproduzione di questo catalogo del Pignatti che giudico il disegno) — sembrano migliori dei due presenti alla mostra. Sarei comunque incline a ritenere che siano usciti quasi tutti dalla bottega dei Bassano, e il miglior ritrattista della famiglia era probabilmente, come afferma il Ridolfi (1648, II, p. 168), proprio Leandro. Altri disegni di questa serie appartengono al Metropolitan Museum e alla Pierpont Morgan Library (già nella collezione Scholz) di New York, a Mrs. F. Wormald e a Philip Pouncey.

46. RITRATTO DI BAMBINO (6902)

285 × 198. Gessetti colorati (nero, rosso, bianco e bruno) su carta azzurra. Scritta sul *verso: 440 lapis*. COLL.: Z. Sagredo (?), Borghese

(?); M. de Marignane (v. L. 1872); H. de Marignane Jr (L. 1343 a); H.M. Calmann; F. Lugt (L. 1028); acquistato nel 1957. BIBL.: Tietze-Tietze Conrat, 1944, n. 293 o 241. ESP.: Parigi, 1976, n. IV (non in catalogo).

Dello stesso gruppo e probabilmente della stessa mano del n. 45.

Battista Angelo del Moro
c. 1514 - c. 1574

47. UN MIRACOLO DI S. NICOLA DA BARI (1981 - T.1)

. 408 × 234. Penna e inchiostro bruno con acquerello bruno-grigio su carta azzurra, rialzato a biacca su carboncino, centinato, controfondato. In basso, al centro, grafia degli inizi del XVII secolo *Jeanne (?) de bollonia*, oppure *Jeanne (?) de Bellange* (forse in riferimento all'incisore manierista francese Jacques — e non Jean — Bellange, attivo agli inizi del XVII sec.). COLL.: A. Strölin; M.me J. Strölin; acquistato nel 1981. ESP.: Parigi, 1978, n. 26.

L'attribuzione (di cui non mi è nota l'origine) appare plausibile ove si confronti questo bel disegno con altri assegnabili con certezza a Battista Angelo del Moro (v. Ballarin, 1971-II, p. 92 sgg., in particolare pp. 96-105). I tipi fisionomici, le figure allungate e la tecnica sono tipici della grafica di questo artista. Lo stesso miracolo di S. Nicola (che salva tre innocenti condannati a morte) è raffigurato anche nella predella del Trittico dell'Angelico della Galleria Nazionale dell'Umbria di Perugia. Lo scomparto con questo episodio è anch'esso conservato a Perugia (Pope-Hennessy, 1974, pp. 198-199, tavv. 39, 42-45, figg. 22 e 24), mentre gli altri due si trovano a Roma nella Pinacoteca Vaticana.

Giuseppe Porta d. Salviati
c. 1520 - post 1573

48. PRESENTAZIONE AL TEMPIO (7617)

547 × 295. Penna e inchiostro bruno, acquerello bruno, rialzato a biacca su carboncino sopra carta grigio-verde (probabilmente già azzurra). Un grande triangolo in basso a destra, restaurato da Rubens con tecnica simile su carta colorata cuoio. Una striscia di carta di c.mm 20 è stata aggiunta (non è da escludersi dallo stesso Salviati) in alto. Centinato; i pennacchi sono stati riempiti in epoca piú tarda e coperti con biacca parzialmente ossidata. Due striscie di carta di circa 9 e 8 mm. sono state aggiunte ai lati probabilmente da Rubens. Marcato M (per Miron?) a penna e inchiostro nero, in basso a sinistra sulla striscia di carta aggiunta. Scritta, in parte sulla striscia aggiunta e in parte sul disegno originale, probabilmente di mano del collezionista Miron: *Joseph Porta / vulgò Salviati / delin. pro sacell / in aede Francisc. / Venetiis.* Sul supporto originale, di mano del Mariette, a penna e inchiostro bruno: *Dessein de Joseph Porta dit Salviati, pour le tableau qu'il a peint / dans L'Eglise des Frati à Venise, & qui est un de ses plus beaux ouvrages. Ce dessein qui aparemment avoit souffert, ayant passé / entre les mains de Rubens. Ce grand peintre a pris la peinne de le / restaurer dans ce qui y manquoit, sans toucher au travail du Salviati / et en a fait un dessein de la première consideration.* In basso è aggiunto, pure di mano del Mariette: *Je l'ai achetté à la vente de desseins de M. Crozat en 1741 Mariette fils;* a destra di questa scritta, di mano del collezionista Lucas: *Jan y 24 th 1855 / Lionel Lucas,* in penna e inchiostro nero. COLL.: P.P.Rubens; P. Crozat (L. 2951); P.J. Mariette (L. 1852); President Haudry; A. Miron (L. 1841); Monsieur B. (vendita Parigi, 25.1.1855, dal n. 86); L. Lucas (L. 1733 a); C. Lucas; M.B. Asscher; F. Lugt (L. 1028); acquistato nel 1961. BIBL.: Mariette, IV, p. 200; Blanc, 1857-58, II, p. 359; Jaffé, 1955, pp. 330-340, tavv. 1-2; Parker, 1956, pp. 370-371, n. 689; Held, 1959, I, pp. 59-60; Van Gelder, 1964, p. 12; Jaffé, 1965, p. 25, tav. 17; Haverkamp-Begemann, 1973, p. 51; d'Hulst, 1976, pp. 376-377; Jaffé, 1977, pp. 38-39, tav. 95; Logan, 1978, p. 430; Held, 1978, p. 136; McTavish, 1980 e 1981 (in corso di stampa). ESP.: Parigi-Rotterdam-Haarlem, 1962 (esposto, fuori catalogo, soltanto a Parigi); Parigi,

1967, n. 201; Londra-Parigi-Berna-Bruxelles, 1972, n. 74, tav. 40; Nizza, 1979, n. 38.

Disegno di eccezionale interesse; pubblicato nel 1955 da M. Jaffé, che pensa sia rimasto nello studio di Giuseppe Porta fino alla sua morte, per passare poi nelle mani di un artista dell'Italia settentrionale che ne eseguí una copia — ora nella Staatliche Graphische Sammlung di Monaco (attribuita a Paolo Farinati; Jaffé, 1955, p. 338, fig. 4; Dal Forno, 1965, p. 41, fig. 46; Jaffé, 1977, tav. 94) — nello stato in cui si trovava prima di venire restaurato dal Rubens. Il Rubens lo acquistò certamente in Italia (c. 1606-1608). È uno studio preparatorio — come specificava il Mariette — per la *Pala Valier* del Porta Salviati in S. Maria Gloriosa dei Frari, generalmente datata c. 1560 (Jaffé, 1955, fig. 3). A parte il restauro del Rubens, le differenze con l'opera finita sono notevoli: l'angelo sopra l'altare — con la lancia e la corona di spine — nel disegno manca; l'architettura è diversa (a cielo aperto nel dipinto) e le figure dei tre Santi, in primo piano a destra, sono state completamente modificate. Un disegno del Porta dell'Ashmolean Museum di Oxford (Parker, 1956, n. 689; Jaffé, 1955, fig. 7) ci mostra come l'artista intendesse raffigurare S. Marco nell'angolo all'estrema destra; e, sebbene i due Santi a destra appartengano (con la sola eccezione delle teste) all'inserto triangolare del Rubens, appare tuttavia probabile che il Santo subito sopra S. Marco non fosse Bernardino da Siena (come nella tela), bensí un diacono, forse Lorenzo, che è il Santo cui ovviamente pensava Rubens (che vi sia o no una graticola all'estrema destra). Il Porta modificò anche le posizioni degli altri Santi ai piedi della scala: nella collezione Petit Horry di Parigi esiste uno studio a sanguigna (Parigi, 1967, n. 97) — riconosciuto come del Porta da D. McTavish (comunicazione orale del 1972) — che raffigura il S. Paolo come appare nel dipinto, ma non nel nostro disegno. In generale si pensa che l'artista stesso, non soddisfatto delle figure dei Santi di destra, abbia tagliato via l'angolo del foglio, lasciandolo come lo si vede nella copia di Monaco. Quella copia, fedele, ma non di grande qualità (e difficilmente del Farinati, anche se forse della sua bottega) ci permette di individuare esattamente i restauri del Rubens (a parte l'inserto con le figure dei SS. Marco e Lorenzo che è probabilmente solo suo). Ne risulta, come ha osservato il Jaffé nella sua eccellente analisi del 1955, che Rubens è intervenuto per chiarire la forma dell'altare, il cofanetto offerto dalla Vergine e le sue braccia, le figure del sacerdote e degli accoliti; ha inoltre completato l'architettura dello sfondo sulla destra. Il disegno del Musée des Arts Décoratifs di Parigi

(Parigi, 1967, n. 201) — anch'esso appartenuto al Mariette — è chiaramente soltanto una copia piuttosto fiacca del dipinto. Al tempo della vendita Mariette del 1775, Gabriel de Saint-Aubin tracciò in margine al suo catalogo (ora al Museum of Fine Arts di Boston; Jaffé, 1955, fig. 10) un rapido schizzo, molto sommario, del nostro disegno.

Jacopo Tintoretto

1518 - 1594

49. FIGURA DI GIOVANE SEDUTO (7236)

279 × 172. Carboncino e gessetto bianco su carta sbiadita grigio-azzurra; controfondato. Sul supporto dello Skippe, probabilmente di sua mano: *Domenico Tintoretto*. COLL.: J. Skippe (v. L. 1529 a-b); P. Skippe Martin; E. Holland; Mrs. A.C. Rayner Wood; E. Holland-Martin; F. Lugt (L. 1028); acquistato nel 1958. BIBL.: Tietze-Tietze Conrat, 1944, p. 362 (come Andrea Vicentino). ESP.: Parigi, 1976, n. XI (non in catalogo).

Già attribuito a Domenico Tintoretto, poi descritto dai Tietze come «tipico del Vicentino». Se l'autore è Jacopo Tintoretto, come mi sembra che possa essere, deve trattarsi di un'opera tarda; la testa ricorda quella dell'apostolo al quale il Cristo porge l'Ostia nell'*Ultima Cena* di S. Giorgio Maggiore (1592-1594). Vi si notano tracce di barba e baffi aggiunti in un secondo tempo, anche se il modello era senza dubbio glabro. Invece, se il disegno fosse di Domenico, si tratterebbe di un'opera giovanile, di stile assai prossimo a quello del padre. Non vedo ragioni per attribuirlo al Vicentino, come hanno fatto i Tietze con tanta sicurezza.

Domenico Tintoretto

c. 1560 - 1635

50. FIGURA NUDA SDRAIATA (1362)

196 × 293. Carboncino rialzato di bianco su carta azzurra ridotta in grigio bruno pallido. In basso a sinistra, la scritta *Tint.* [to] in grafia del

XVIII sec. COLL.: L. Grassi (L. 1171 b); F. Lugt (L. 1028); acquistato nel 1923. BIBL.: Dussler, 1927, pp. 32-33, tav. IIIa (come Jacopo); von Hadeln, 1927-I, p. 102 (come Domenico); Tietze-Tietze Conrat, 1944, n. 1510 (come Domenico).

Questa figura viene generalmente descritta come femminile, ma il modello era forse un uomo, probabilmente lo stesso di un disegno del Gabinetto Nazionale delle Stampe di Roma (Tietze-Tietze Conrat, 1944, n. 1545, tav. CXVI, 2). Esistono, comunque, almeno tredici disegni molto simili, tutti provenienti dalla collezione Grassi (acquistati da F. Lugt nel 1923 e poi dispersi in varie collezioni), nel quali le caratteristiche femminili sono piú pronunciate. Può darsi che Domenico si sia servito di un modello maschile, pensando però a una figura di donna per uno dei suoi dipinti. L'attribuzione dell'Hadeln a Domenico, poi condivisa dai Tietze, mi sembra convincente: il disegno è un esempio particolarmente bello dello stile del piú giovane dei Tintoretto. Invece, lo studio di nudo — androgino come questo — della collezione Winslow Ames di Saunderstown, nel Rhode Island (Washington - Fort Worth - St. Louis, 1974-1975, n. 21) mi sembra piú vicino a Tiziano, cui era ascritto quando era ancora nella collezione Lanier. Non è certamente della stessa mano del nostro.

51. NUDO VIRILE SUPINO (7235)

105 × 265. Carboncino o carbone con tracce di gessetto su carta verde-grigia (probabilmente azzurra sbiadita); controfondato. Sul supporto dello Skippe, a matita, *D: Tintoret* sopra altra iscrizione, presumibilmente di mano dello Skippe, *D: Tintoret*; sotto, di mano di A.E. Popham, *Domenico Tintoretto*. COLL.:J. Skippe (v. L. 1529 a-b); P. Skippe Martin; E. Holland; Mrs A.C. Rayner Wood; E. Holland-Martin; F. Lugt (l. 1028); acquistato nel 1958.

Bel disegno; la linea di contorno piuttosto diritta è tipica di Domenico piú che del padre.

52. INCREDULITÀ DI S. TOMMASO (7491)

225 × 288. Penna e inchiostro bruno, acquerello bruno con tracce di
biacca su carboncino, su carta azzurra. Scritta illeggibile (probabil-
mente un'ascrizione al Veronese) sulla base della colonna, a sinistra.
Iscrizione sul verso del supporto, a matita: *Paul Veronese / 99*. COLL.:
Moriz von Fries (L. 2903); collezionista anonimo (vendita: Londra,
Sotheby's 1.5.1961, n. 47); F. Lugt (L. 1028).

La composizione e gli atteggiamenti delle figure sono tipici di Paolo
Veronese e il disegno deve essere di quell'epoca, ma certamente non
suo, anche se non sembra una copia. Per certi aspetti potrebbe far
pensare ad Andrea Schiavone, ma non al suo stile piú facilmente
riconoscibile. D'altra parte, nell'opera dello Schiavone non si avverte
di solito cosí chiaramente l'influsso del piú giovane Veronese.

Paolo Farinati
1524 - 1606

53. DAFNE (1978 - T.58)

422 × 275. Carboncino, punta di pennello con inchiostro bruno,
acquerello bruno rialzato a biacca su carta azzurra, sbiadita in bruno.
COLL.: P. Lely (L. 2092); W. Gibson (?) (v. L. 2885); P. Wallraf;
collezione privata (vendita Christie's 11.4.1978, n. 29, acquistato da
Y. Tan Bunzl per la Fondazione Custodia).

Il disegno fu venduto nel 1978 insieme con un altro bel foglio del
Farinati, di dimensioni analoghe e con la medesima provenienza. L'altro disegno, un *Arcangelo Michele* (Londra, Christie's, 11.4.1978, n.
28, tav. 16), portava però sul retro la ben nota annotazione del prezzo
del Gibson. Figure di tipo scultoreo come questa, entro nicchie e
generalmente monocromate, costituivano un elemento decorativo
piuttosto comune nelle ville dell'entroterra veneto dopo la metà del

XVI secolo; ne esistono esempi di Paolo Veronese (a Maser) e di molti altri artisti, tra i quali il Farinati e i suoi due figli, attivi verso la fine del secolo (1596-1597) .nella villa Nichesola di Ponton (Puppi, 1965, pp. 148-149; Crosato, 1962, pp. 44-45, 173-175; Mazzotti, 1966, p. 267, fig. 353) e in altre località del veronese (cfr. Ca' Zenobio, ora Villa Forlati a Sommacampagna; Mazzotti, 1966, p. 266, fig. 352; Crosato, 1962, pp. 190-191, figg. 80-82). Nel Museo Civico di Verona si conserva un affresco del Farinati (Dal Forno, 1965, n. 84, fig. 59) con una figura femminile con una tromba in mano (la Fama?), posta in una nicchia come la *Dafne* del nostro disegno. Il Farinati eseguì anche una lunga serie di disegni di sovrani dell'antichità, spesso in nicchie, dalla composizione molto simile a quella del nostro disegno.

Bernardino India
1528 - 1590

54. STUDI DI FIGURE (7229)

236 × 177. Penna e inchiostro bruno, acquerello bruno su matita; altri schizzi visibili attraverso il supporto dello Skippe. COLL.: J. Skippe, P. Skippe Martin; E. Holland; Mrs A.C. Rayner Wood; E. Holland-Martin; F. Lugt (L. 1028); acquistato nel 1958.

Le due figure femminili a sinistra sono riprodotte in una rara silografia a chiaroscuro del collezionista John Skippe, alla maniera di Antonio Maria Zanetti il Vecchio. Un esemplare della stampa (che è al rovescio) si trova nella collezione di Mrs. Hoyt Mavor di Boston. Sulla montatura dello Skippe vi è una scritta che attribuisce il disegno al Pomarancio, mentre sulla stampa, sopra le iniziali dello Skippe, vi è una *P* che sta però (probabilmente) per Parmigianino. Sono convinto che il disegno sia in realtà di Bernardino India, della cui opera grafica esistono esempi tipici al British Museum, nella collezione Scholz di New York e al Christ Church di Oxford (v. Byam Shaw, 1976-I, I, nn. 807-810, figg. 52-53, II, tavv. 488-492).

55. LIBRETTO DI DISEGNI (4804)

117 × 72. Legatura originale in pergamena bianca con ornamenti impressi, chiusura e rinforzi metallici: contiene 24 fogli di pergamena con spessa preparazione color giallo cuoio sulle due facce (99 × 70) e due fogli di carta all'inizio e alla fine del volume. Sul foglio di carta iniziale scritta, a penna e inchiostro bruno, *à Auzou / Donné à Milan par Appiani, / en février 1799* e, sul *verso*, a carboncino, *Donné par M. Auzou*. Sul foglio di carta finale vi è un ritratto di donna a penna e inchiostro bruno e sul *verso*, a penna e inchiostro bruno, in grafia simile a quella del Palma, la scritta *Vi sono Teste Cinquanta / e figure intiere trenta /= due sopra foglie ventiqua /= tro*. Sotto, un nome (o un'altra scritta) cancellato e *Palma* (ambedue in grafia del XVII secolo). I fogli di pergamena contengono sempre, sul *recto*, una figura singola del Redentore, della Vergine o di un Santo e sul *verso* (in dodici casi) ritratti di artisti a mezzo busto, con iscrizioni, riuniti a gruppi di tre. La tecnica (ove non sia altrimenti indicato qui sotto) è a penna e acquerello grigio su carboncino, su fondo giallo cuoio, rialzato a biacca:

p. 1, *recto*: *Cristo seduto sul globo terrestre* (rialzato in oro), *verso*: *Quattro teste* (di cui due sono forse ritratti).

p. 2, *recto*: *Madonna col Bambino, verso*: *Quattro teste* (forse solo di carattere, ricordano alcune incisioni di Giacomo Franco, *De excellentia et nobilitate delineationis libri due*, cui contribuí anche il Palma; v. Schwarz, 1965, pp. 160-161, fig. 1; Rosand, 1970-II, fig. 16).

p. 3, *recto*: *S. Pietro, verso*: *Tre ritratti* (Paris Bordone, Bonifazio de' Pitati e Jacopo Bassano).

p. 4, *recto*: *S. Paolo* (solo a carboncino, rialzato a biacca), *verso*: *Tre teste* (senza scritte, una raffigura forse una ragazza della famiglia dell'artista).

p. 5, *recto*: *S. Giovanni Evangelista, verso*: *Tre teste* (probabilmente solo di carattere).

p. 6, *recto*: *Evangelista, verso*: *Tre ritratti* (Giovanni Antonio Rusconi, Vittore Carpaccio e Andrea Schiavone).

p. 7, *recto*: *S. Andrea, verso*: *Tre ritratti* (Raffaello, Giulio Romano e Perin del Vaga).

p. 8, *recto*: *S. Tommaso, verso*: *Tre ritratti* (Giorgione, Tiziano e forse Francesco Bassano il Vecchio).

p. 9, *recto*: *S. Giacomo Maggiore, verso*: *Tre ritratti (il Cavaliere d'Arpino, Girolamo Muziano e Battista Zelotti).*

p. 10, *recto*: *S. Giovanni Evangelista, verso*: *Tre ritratti* (Bramante, Niccolò Tribolo e Fra' Bartolomeo).

p. 11, *recto*: *S. Bartolomeo, verso*: *Tre ritratti* (Polidoro da Caravaggio, Baldassarre Peruzzi e Guillaume de Marcillat).

p. 12, *recto*: *S. Matteo, verso*: *Tre ritratti* (Parmigianino, Andrea del Sarto e Domenico Beccafumi).

p. 13, *recto*: *Evangelista che scrive su un libro* (S. Giovanni?), *verso*: *Evangelista con un grande libro.*

p. 14, *recto*: *S. Tommaso, verso*: *Tre ritratti* (Michelangelo, Baccio Bandinelli e Daniele da Volterra).

p. 15, *recto*: *S. Giovanni Battista, verso*: *Tre ritratti* (Jacopo Bassano, Gerolamo Genga e il Sodoma).

p. 16, *recto*: *S. Girolamo, verso*: *Tre ritratti* (Jacopo Tintoretto e Paolo Veronese; il terzo, con la scritta cancellata, è chiaramente lo stesso Palma).

p. 17, *recto*: *Sansone con una delle porte di Gaza* (esiste una tavola dello stesso soggetto in S. Maria della Salute di Venezia, v. Ivanoff-Zampetti, 1979, n. 58, p. 668), *verso*: *S. Sebastiano.*

p. 18, *recto*: *S. Sebastiano, verso*: *S. Caterina d'Alessandria.*

p. 19, *recto*: *La Maddalena penitente, verso*: *Tre ritratti* (Jacopo Sansovino, Alessandro Vittoria e Tommaso Lombardo).

p. 20, *recto*: *S. Caterina d'Alessandria* (o *La Maddalena penitente*), *verso*: *Eremita* (S. Onofrio?).

p. 21, *recto*: *Eremita, verso*: *S. Francesco che riceve le Stimmate.*

p. 22, *recto*: *S. Giacomo Maggiore, verso*: *Evangelista.*

p. 23, *recto*: *S. Giorgio, verso*: *S. Girolamo* (?).

p. 24, *recto*: *Santo barbato, verso*: *Giovane Santo.*

COLL.: A. Appiani; M. Auzou; collezione privata francese (vendita, Parigi, Hotel Drouot, Baudin-Cailac, 21.6.1932); F. Lugt (L. 1028). BIBL.: Londra, 1954, n. 6; Jaffé, 1962, p. 232; Zava Boccazzi, 1965-II, p. 292 sgg., tav. 5; Schwarz, 1965, p. 158 sgg., tav. 26 b; Rosand, 1965, pp. 416-417, figg. 337-338; Prinz, 1966, pp. 43-44, tav. 24; Andrews, 1968, I, p. 86, n. D. 2237; Rosand, 1970-I, p. 161, nota 62; Schwarz, 1971, pp. 213, 215, fig. 8; Byam Shaw, 1973, p. 28, n. 46; Mason Rinaldi, 1973, p. 141; Byam Shaw, 1978-II, p. 275 sgg.; Ivanoff-Zampetti, 1979, p. 569, n. 438. ESP.: Parigi-Rotterdam-Haarlem, 1962, n. 126, tav. XCI; Parigi, 1976, n. IX (non in catalogo).

Le figure singole del Cristo, della Vergine e dei Santi sul *recto* di tutti i fogli e, in molti casi, anche sul *verso* sembra siano state pensate come un repertorio di esempi — il risultato di vari esperimenti di composizione e di pose — piuttosto che come schizzi per qualche dipinto in particolare. Per questa ragione ho definito il volumetto un libro di disegni e non un libro di schizzi (come era detto in passato). I libri di schizzi del Palma giunti fino a noi sono piú d'uno: ricordiamo quelli di Monaco (in due volumi), del British Museum, dell'Ashmolean Museum di Oxford, dell'Accademia di S. Luca a Roma, di Bergamo e del Museo di Brno, in Cecoslovacchia (Mason Rinaldi, 1973, p. 125 sgg.; Byam Shaw, 1978-II, p. 278); essi però contengono un gran numero di schizzi di figure e di studi di composizione dalla grafia molto piú libera di quelli del nostro volume. Questo è in realtà un esemplare «tascabile», perfettamente conservato, di «libro di modelli» dello stesso tipo dei *«four small Pocket Books of Drawings by Parmegiano»* descritti nell'inventario A delle collezioni di Giorgio III. Da quei volumi, però, sono stati staccati tutti i disegni e nella Royal Library di Windsor si conservano solo tre delle legature originali (Popham-Wilde, 1949, p. 277 sgg.); le dimensioni del Tomo III nell'inventario di Windsor sono quasi le stesse del nostro volume e anche lí i disegni erano stati eseguiti direttamente sulle pagine preparate, ma a punta metallica (sono tutti antiche copie dal Parmigianino). Ho potuto scoprire solo lievi somiglianze tra le figure del nostro libro e i dipinti del Palma: il *S. Sebastiano* di p. 18 *recto* può essere in rapporto con il dipinto firmato dell'Alte Pinakothek di Monaco (Kultzen, 1971, pp. 103-104, fig. 153; Ivanoff-Zampetti, 1979, n. 116, p. 672); mentre il *S. Francesco che riceve le stimmate* di p. 21 *verso* ricorda nella posa un disegno del British Museum (inv. 1946-7-397), che è forse però precedente ed è stato messo in rapporto con il dipinto di Bianzano datato

1595 (Ivanoff-Zampetti, 1979, n. 21, p. 672). Quanto ai 36 ritratti di artisti, è probabile che nessuno di essi sia stato eseguito dal vero. Dei 36 artisti raffigurati solo due — Alessandro Vittoria († 1608) e il Cavaliere d'Arpino († 1640) — erano ancora in vita quando vennero eseguiti i disegni. Il libretto è stato datato approssimativamente 1602-1604 in base all'autoritratto di p. 16 *verso*, che va confrontato con il disegno della Pierpont Morgan Library di New York (Ivanoff-Zampetti, 1979, n. 438, p. 699) che è probabilmente del 1602, e con l'altro autoritratto nello sfondo della pala dei Tolentini con la *Sepoltura dei SS. Tiburzio e Valeriano* (Zava Boccazzi, 1965-II, pp. 294-295; Ivanoff-Zampetti, 1979, p. 515, 582, n. 346, pp. 710-711), che dovrebbe essere del 1604 circa, o poco più tardo. Penso inoltre che sia assai improbabile che i ritratti siano stati disegnati direttamente sul libro. Dell'autoritratto di p. 16 (con le teste del Tintoretto e di Paolo Veronese) esiste a Chatsworth un'altra versione, su carta, che non proviene certamente dal nostro volume. Su quel foglio (Schwarz, 1971, pp. 214-215, fig. 9; Londra, 1973, n. 46; v. anche Byam Shaw, 1978-II, p. 280) un collezionista ha scritto in un momento successivo dei nomi sbagliati: Tintoretto è diventato *Jacopo Bassano* e il Palma *Malombra*, ma deve trattarsi di uno studio per la versione del nostro libretto, dove le teste sono più curate e meglio disposte, come in una «bella copia». Lo stesso più dirsi anche di altre delle pagine di ritratti di artisti, sebbene questo sia l'unico caso in cui ci è pervenuto uno schizzo preparatorio. La scelta dei soggetti di questa «galleria di artisti» — di cui non mi è chiaro lo scopo — rivela una decisa preferenza per i veneziani che sono quasi la metà del totale, contro solo sei fiorentini, sette che hanno operato soprattutto a Roma, tre senesi, l'umbro Genga e il Parmigianino. La presenza di quest'ultimo vuole forse essere un riconoscimento dell'influsso esercitato sul Palma, ben documentato dall'elegante figura di p. 24 *verso*. Guillaume de Marcillat (il cui nome è stato decifrato da J. Sherman), ritratto a p. 11 *verso*, era un francese — famoso pittore su vetro — che passò gran parte della vita a Roma e ad Arezzo (dove ebbe per allievo il Vasari). In ordine cronologico, il primo di tutti è il Bramante e l'ultimo il Cavaliere d'Arpino, che aveva 24 anni meno del Palma. Quest'ultimo deve però aver conosciuto qualcuno dei grandi veneziani della generazione precedente alla sua. Il Palma era di soli sedici anni più giovane di Paolo Veronese e ne aveva cinquanta quando morí il Tintoretto; terminò l'ultima pala di Tiziano e Alessandro Vittoria scolpí il busto suo e della moglie Andriana (Schwarz, 1965, pp. 161-162, figg. 2-3). Potrebbe quindi aver eseguito degli schizzi di tutti questi artisti per poi adattarli nelle pagine del libretto ed è probabile che i ritratti dei veneziani siano abbastanza somiglianti agli originali. Jacopo Bassano, ad esempio, ricorda molto l'immagine che ce ne ha lasciato il figlio Leandro nel dipinto del Kunsthistorisches Museum di Vienna (Arslan, 1960, p. 274, tav. 103). Con i fiorentini e gli altri il caso era diverso: il Michelangelo (p. 14 *verso*) è del tutto irriconoscibile e il Bandinelli, sulla stessa pagina, somiglia ben poco all'autoritratto scolpito dall'artista sul retro del suo monumento funebre nella Chiesa della SS. Annunziata di Firenze. I ritratti di molti degli artisti piú lontani nel tempo sono sicuramente desunti dalle silografie della parte terza dell'edizione del 1568 delle *Vite* del Vasari (Prinz, 1966, pp. 109-111, 114, 121, 125, 129, 134-137, 140-141, 147, 149: v. anche pp. 118-119, 137) o almeno derivano dalle medesime fonti. Bramante, Fra Bartolomeo, Giorgione, Polidoro, il Peruzzi e il Parmigianino, e forse anche Raffaello e Giulio Romano ricordano cosí da vicino le illustrazioni del Vasari che un qualche legame deve pur esservi, anche se molti dei ritratti sono al rovescio il che farebbe pensare ad una fonte comune piuttosto che a una derivazione diretta. Nella maggior parte dei casi i ritratti appaiono «migliorati» rispetto alle incisioni: gli artisti appaiono infatti ringiovaniti e di aspetto piú gradevole. La testa di Andrea del Sarto (p. 12 *verso*) riveste un interesse particolare dal punto di vista iconografico perché non è derivata dal Vasari, ma sembra desunta dal ritratto, tradizionalmente ritenuto proprio di quell'artista, acquistato nel 1967 dalla National Gallery of Scotland (Shearman, 1965, I, tav. 176, II, n. 96; Brigstocke, 1978, n. 2297 e anche figg. 25 e 28). L'identificazione del soggetto di quel dipinto, accolta da J. Sherman, ma posta in discussione da alcuni autori, trova cosí una conferma nelle pagine di questo libro. Quanto al ritratto femminile sul foglio di carta finale, potrebbe essere quello di una delle figlie del Palma. I lineamenti ricordano quelli di Andriana, la moglie, morta nel 1605, ritratta in vari schizzi del British Museum, della Graphische Sammlung di Monaco, della Pierpont Morgan Library di New York e dell'Art Institute di Chicago (Schwarz, 1965, p. 158 sgg., tavv. 20-26; 1971, pp. 210, 211, 215, figg. 1-5; Joachim-Folds McCullagh, 1979, pp. 44, 120, n. 38, tav. 44; Ivanoff-Zampetti, 1979, p. 296, nn. 436, 438, pp. 699 e 728) dove però sembra di corporatura piú robusta della donna del nostro disegno.

56. S. GEROLAMO IN PENITENZA (1031F)

292 × 192. Penna e inchiostro bruno, acquerello bruno su carboncino; residuo di linee d'incorniciatura a penna e inchiostro bruno sulla

destra; controfondato. COLL.: J. Pietersz (L. 1511); Earl of Dalhousie (L. 1717 a: da uno dei due album del XVIII secolo acquistati da P. & D. Colnaghi nel 1922); P. & D. Colnaghi; F. Lugt (L. 1028); acquistato nel 1923. BIBL.: Tietze-Tietze Conrat, 1944, n. 972. ESP.: Parigi, 1976, n. X (non in catalogo); Nizza, 1979, n. 33, p. 49.

Bell'esempio dello stile tardo del Palma, del 1620 circa. Soggetto frequentemente ripreso dall'artista.

Alessandro Maganza

1556 - 1640

57. PARABOLA DELLE VERGINI SAGGE E DELLE VERGINI STOLTE (4193)

305 × 206. Penna e inchiostro bruno; macchia d'inchiostro vicino al margine destro. *Verso*: quattro figure femminili. COLL.: da un album già appartenuto a Sir Archibald Alison; successivamente acquistato da L. Grassi e probabilmente smembrato dallo stesso (v. L. 1171 b); F. Lugt (L. 1028); acquistato nel 1929. BIBL.: Tietze-Tietze Conrat, 1944, n. A 1754; Byam Shaw, 1967, p. 48, n. 9.

Questo disegno (con i cinque successivi) appartiene ad una serie di 17 fogli — tutti della stessa mano — acquistati da Luigi Grassi il 20.10.1929 come opere di scuola del Tintoretto. Quattro furono in seguito venduti da F. Lugt a Parigi nel 1935, quattro vennero dati a H. Calmann in cambio di altri disegni e tre furono rubati durante la seconda guerra mondiale. Altri fogli provenienti dal medesimo album sono ora nel Museum Boymans-van Beuningen e all'Albertina di Vienna.

Al British Museum esiste un altro disegno — ora attribuito ad un seguace di Paolo Veronese, ma evidentemente anch'esso del Maganza (inv. 1895-9-15-844) — che illustra lo stesso tema evangelico con maggior chiarezza di questo rapido schizzo. Nel disegno del British Museum, infatti, si vede lo sposo che sale le scale per recarsi alla festa nuziale.

58. CRISTO INCHIODATO ALLA CROCE (4189)

209 × 310. Penna e inchiostro bruno su carboncino. COLL.: si veda il numero precedente. BIBL.: Tietze-Tietze Conrat, 1944, n. A. 1757; Byam Shaw, 1967, p. 48, n. 9.

Forse una prima idea per uno dei sei grandi dipinti del Maganza, molto apprezzati dal Ridolfi (1648, II, pp. 237-238), per la Cappella del Sacramento nel Duomo di Vicenza (cinque sono ancora *in loco*, mentre il sesto è ora nel Palazzo Vescovile di Vicenza; v. Donzelli-Pilo, 1967, p. 260, fig. 280). La traccia a carboncino rivela una composizione diversa, con il Cristo già innalzato sulla Croce, al centro, e le altre due croci ancora vuote. È questo un bell'esempio della grafica del Maganza. Disegni senza dubbio della stessa mano e, in qualche caso, anche della medesima serie, si conservano nel Museo Boymans-van Beuningen di Rotterdam (Byam Shaw, 1967, n. 9) e nella collezione J. Scholz di New York (Venezia, 1957, nn. 41-44; uno di questi ora alla Pierpont Morgan Library: inv. 1975.37). Un disegno degli Uffizi (Tietze-Tietze Conrat, 1944, n. A 1757), in rapporto con il nostro per quanto riguarda il soggetto, reca sul *verso* l'attribuzione al Maganza. Anche su un foglio del Victoria and Albert Museum, forse uno studio per una *Sacra Famiglia* (Ward-Jackson, 1979, I, n. 190), si può ancora distinguere un'antica ascrizione allo stesso Maganza.

59. S. TERESA CHE BACIA LE PIAGHE DI CRISTO (4199)

212 × 152. Penna e inchiostro bruno su carboncino. COLL.: v. n. 57. BIBL.: Tietze-Tietze Conrat, 1944, n. A 1754; Byam Shaw, 1967, p. 48, n. 9.

Lungo il margine destro vi è uno studio (con tocchi di acquerello bruno), in scala molto maggiore, del gomito destro di una figura drappeggiata (la Santa?). L'attribuzione al Maganza di questo disegno (comunicazione orale di J. Scholz del 1953) è certamente esatta. L. Salmina Haskell (comunicazione orale del 1964) pensa invece a Leonardo Corona, probabilmente per confronto con un disegno del Christ Church di Oxford (Byam Shaw, 1976-I, I, n. 841) ascritto al Corona da un'antica iscrizione ed esposto come tale (Venezia, 1959-I, n. 2). È tuttavia possibile dimostrare che anche quel disegno è del Maganza. B. Meijer ha segnalato un dipinto di Pietro Ricchi (Rizzi, 1970, pp. 234-235, fig. 334) di questo stesso insolito soggetto e ha giustamente respinto il vecchio titolo: *Cristo e la Maddalena* (dopo la Resurrezione) perché nell'episodio, molto più comune, del «*Noli me tangere*» il Cristo allontana sempre la donna inginocchiata, mentre qui la accosta a sé e le mostra le piaghe. Non potrebbe trattarsi nemmeno di *Cristo che appare alla Vergine dopo la Resurrezione*, come nella Pala di Cento del Guercino, perché qui l'acconciatura della donna sembra essere quella di una monaca. In realtà il Guercino dipinse nel 1634 (mentre il Maganza era in vita) un *Cristo che appare a S. Teresa* in una pala, ora nel Musée Granet di Aix-en-Provence, per la quale esistono vari disegni preparatori, fra i quali anche uno del British Museum nel quale la figura inginocchiata è certamente una suora (Bologna, 1968, nn. 137-138; Turner, 1980, n. 46).

60. UN MIRACOLO (4194)

344 × 230. Penna e inchiostro bruno su carboncino. COLL.: v. n. 57. BIBL.: Tietze-Tietze Conrat, 1944, n. A 1754; Byam Shaw, 1967, p. 48, n. 9; Venezia, 1979-80, p. 218, fig. 12.

Sotto un baldacchino, un sacerdote (o un Santo?), mostra, tra fedeli che reggono lunghi ceri, l'Ostia consacrata ad una donna in ginocchio, sorretta da un'altra figura femminile; intorno, una folla di astanti mentre in primo piano giacciono alcuni corpi (di vittime della peste?), tra cui uno con le gambe alzate in una strana posizione. Sulla destra, una figura d'uomo che porta via un cadavere. Il Ridolfi (1648, II, p. 233) così descrive un ‘dipinto di Alessandro Maganza nella Cappella Caldogno in S. Lorenzo di Vicenza: «Gregorio Papa in oratione, con molti corpi infetti intorno, figurando la pestilenza seguita in Roma ne' tempi di quel Pontefice, e sopra la Mole di Adriano stavvi un Angelo, che invagina la spada; & è una delle più elaborate fatiche dell'Autore». È possibile che il nostro disegno sia uno studio preparatorio per quel soggetto, anche se la figura principale non corrisponde alle consuete raffigurazioni di Papa Gregorio. La traccia preliminare indica nello sfondo delle architetture che non sono state poi riprese a penna. Il disegno è rapido e sommario come il n. 58.

61. BATTESIMO (?) (4197)

215 × 307. Carboncino. COLL.: v. n. 57. BIBL.: Tietze-Tietze Conrat, 1944, n. A 1754; Byam Shaw, 1967, p. 48, n. 9.

La scena sembra raffigurare un'importante cerimonia, cui prendono parte dei personaggi in costume contemporaneo: potrebbe trattarsi di uno schizzo preparatorio per un affresco di qualche palazzo privato. Il Ridolfi (1648, II, pp. 231-238), tuttavia, non accenna ad alcun dipinto del genere.

62. ENEA CHE ABBANDONA TROIA (4191)

217 × 336. Penna e inchiostro bruno su carboncino; grande lacuna in alto colmata (forse dall'artista) con un frammento di un altro suo disegno. COLL.: v. n. 57. BIBL.: Tietze-Tietze Conrat, 1944, n. A 1754; Byam Shaw, 1967, p. 48, n. 9.

Bel disegno, tipico del Maganza. Tra i molti dipinti di Vicenza ricordati dal Ridolfi (1648, II, pp. 231-238) non ve n'è alcuno di questo soggetto.

Marcantonio Bassetti
1588 - 1630

63. NOBILE VENEZIANO CHE OFFRE DEL CIBO A UN POVERO (1981 - T.2)

275 × 212. Pennello con acquerello verde, azzurro e nero, rialzato con tracce di guazzo verde. COLL.: da un album già appartenuto a B. Charbonnier, Sir Archibald Alison e Laurence W. Hodson; smembrato in occasione della vendita Sotheby 3.7.1980 (n. 1); R. Day; acquistato nel 1981.

Presentato nel catalogo di Sotheby's come opera di scuola veneziana della fine del XVI secolo, ma successivamente assegnato ad Andrea Schiavone. Tale attribuzione non mi sembra convincente. La tecnica, la luce, l'architettura e qualcuna delle figure ricordano piuttosto i disegni del veronese Marcantonio Bassetti, che subí — in quanto allievo di Palma il Giovane — l'influsso del Tintoretto fino alla sua partenza da Venezia per Roma (nel 1616, con il compaesano Alessandro Turchi) dove la sua pittura prese invece un'impronta caravaggesca. Stilisticamente il disegno non appartiene certo alla maturità dell'artista e, se è suo, deve essere un lavoro giovanile, come indicherebbe anche il soggetto. Lo si confronti, per tecnica e stile, con i tre disegni con episodi della storia di Mosè conservati nel Gabinetto delle Stampe di Genova (Verona, 1974, nn. 148-149, figg. 173-174) e a Budapest (Fenyö, 1965-I, pp. 106-107, tav. 80; Venezia, 1965, n. 45); e inoltre con il *Martirio del diecimila cristiani* dell'Art Museum di Princeton (Gibbons, 1977, n. 37), *La Moltiplicazione dei pani e dei pesci* dell'Albertina di Vienna (Fenyö, 1963, pp. 108-111, fig. 63), e un disegno che ha per titolo *Diana con le ninfe al bagno* del Metropolitan Museum di New York (Bean, 1979, n. 60). Tra i molti disegni del Bassetti conservati nella Royal Library di Windsor ve ne sono alcuni che appartengono sicuramente al periodo preromano dell'artista (Blunt e Croft-Murray, 1957, n. 586, tav. 4).

Francesco Maffei

c. 1605 - 1660

64. TRE STUDI DI SANTI (1973 - T.44)

268 × 202. Penna e inchiostro bruno; acquerello bruno su traccia di carboncino. Incorniciato da quattro linee a penna e inchiostro bruno. In basso a sinistra, a penna e inchiostro bruno, probabilmente autografe, tre righe di versi: *All'hor per meraviglia e per tuo giuoco / Venn'io farfalla, e corsi all'alta, e bella / fiamma, a cui sarà il mondo angusto loco.* Sul *verso*, di mano coeva, a penna e inchiostro bruno: *osta troni i (?).* COLL.: J. Petit Horry; acquistato nel 1973. ESP.: Parigi, 1974-I, n. 44, tav. 26.

Lo stile è tipicamente veneziano, ancora con qualche reminiscenza di Tintoretto, Veronese e Palma il Giovane. L'attribuzione al Maffei, che sembra del tutto convincente, si basa sul confronto con le figure dell'*Assunzione della Vergine*, dipinta nel 1657-1660 per l'Oratorio delle Zitelle e ora nel Museo Civico di Vicenza (inv. A. 683; cat. 1962, II, pp. 118-124). Non vi sono corrispondenze precise con il dipinto, ma i tipi fisionomici sono molto simili (si veda soprattutto il Santo con il naso adunco, in alto a destra) e la luce che investe la scena, lasciando in ombra due dei profili, è caratteristica. Nel Museo Civico di Bassano del Grappa vi è un piccolo disegno di un *Apostolo con un libro*

56

(Ivanoff, 1959, p. 137, tav. 14; Venezia, 1956, n. 28; Venezia 1959-I, n. 59), che è probabilmente in rapporto con lo stesso dipinto e sembra essere della stessa mano del nostro. Il foglio presente alla mostra è però piú importante e può essere considerato il migliore tra quelli attribuibili con una certa sicurezza a questo interessante artista (per altri disegni, ora a Bergamo, v. Ruggeri, 1972, p. 133 sgg.).

Pittore veneziano 1ª metà del XVII sec.

65. RISSA DI SOLDATI (4620)

223 × 307. Penna e inchiostro bruno su carboncino; carta verde-azzurra. Scritta a penna e inchiostro bruno, in basso a destra, in grafia del sec. XVIII: *Del Palma 73*. COLL.: W.T. Spencer; F. Lugt (L. 1028); acquistato nel 1930. ESP.: Parigi-Rotterdam-Haarlem, 1962, n. 125, tav. XV (come Palma il Giovane).

Piú vicino ad Alessandro Maganza che non a Palma il Giovane, ma non suo. Buon disegno, vagamente caravaggesco.

Sebastiano Ricci
1659 - 1734

66. DIOGENE NELLA BOTTE (4803)

112 × 133. Penna e inchiostro bruno; acquerello bruno rialzato con biacca su carta azzurra; controfondato. Sul supporto, a penna e inchiostro bruno S : RICCI. COLL.: E. Bernard; F. Lugt (L. 1028); acquistato nel 1932. ESP.: Parigi, 1980, n. 26.

Schizzo sorprendente, un poco alla maniera di Salvator Rosa. È difficile datare la scritta sul retro, ma l'attribuzione sembra accettabile. Il Daniels (lettera del 20.5.1976) non la condivide e non ne comprendo le ragioni. L'influsso di Salvator Rosa è avvertibile in molti disegni del Ricci degli album di Venezia e di Windsor (Morassi, 1926; Udine, 1975; Blunt e Croft-Murray, 1957, pp. 45-67). Il gesto di

Diogene — con le lunghe dita aperte della mano sinistra — è caratteristico e ricorda i soldati che si destano nella *Resurrezione di Cristo* del Royal Hospital di Chelsea (Daniels, 1976, n. 165, figg. 160-162, 164). Penso che questo disegno sia in rapporto con il dipinto che raffigura *Diogene e Alessandro*, già in Palazzo Labia a Venezia (Udine, 1975, p. 86), per la cui composizione esiste uno studio nell'album dell'Accademia (Udine, 1975, n. 40); oppure con una delle altre versioni dello stesso soggetto, ricordate da A. Rizzi nel valido catalogo della mostra di Udine del 1975 e dal Daniels (1976, nn. 185, 314, fig. 233; nn. 481, 430 a). Il compagno di Alessandro che si curva per guardare lungo il fianco della botte figura anche nel dipinto di Palazzo Labia e nel disegno dell'Accademia.

67. I SERVI SPARECCHIANO LA TAVOLA DELL'ULTIMA CENA (7226)

175 × 243. Pennello, acquerello bruno e qualche traccia di acquerello grigio su matita; incorniciato da quattro linee a penna e inchiostro bruno tenue; controfondato. Sul supporto dello Skippe, di mano di A.E. Popham, *Sebastiano Ricci.* COLL.: J. Skippe (v. L. 1529 a-b); P. Skippe Martin; E. Holland; Mrs A.C. Rayner Wood; E. Holland-Martin; F. Lugt (L. 1028); acquistato nel 1958. ESP.: Parigi, 1980, n. 25.

Studio per una parte di un dipinto perduto del Ricci, già nella Chiesa del Corpus Domini a Venezia, ora demolita. L'opera era composta di due distinte sezioni, poste ai lati dell'altare della Crocifissione: da una parte la *Comunione degli Apostoli* e dall'altra l'insolito soggetto del nostro disegno. Ciò è detto chiaramente nella descrizione di Anton Maria Zanetti il Giovane: «un quadro in due comparti dai lati dell'altare del Crocifisso, nell'uno evvi la comunione degl'Apostoli, nell'altro è rappresentata la stanza della cena con una scala che ivi conduce nella qual stanza veggonsi alcuni Apostoli che si levono, ed alcuni serventi, che sparecchiavano le tavole: opera bella e bizzarro ritrovato di Sebastiano Ricci» (Zanetti, 1733, p. 424, cit. da Daniels, 1976, p. 145, n. 506). Le due sezioni eseguite dal Ricci per l'altare del Crocifisso vennero incise da Fragonard nel 1764 (Wildenstein, 1956, nn. XVIII e XXI) e poi ancora dall'Abbé de Saint Non (da Fragonard) dieci anni piú tardi (Derschau, 1922, p. 143, fig. 117; Daniels, 1976, p. 145, fig. 349). Il Daniels (lettera del 20.5.1976) suggerisce che il nostro disegno potrebbe essere una copia del dipinto eseguita dal Fragonard e forse proprio quella usata per la stampa (che è al rovescio); ma il disegno di Fragonard del 1761 si trova ora nel Norton Simon Museum di Pasadena (Ananoff, IV, 1970, n. 2610, fig. 664): corrisponde esattamente alla stampa ed è molto diverso dal nostro. Qui infatti la composizione è compressa in uno spazio minore, all'estrema sinistra si vede un altro portale con timpano, e a destra è indicato un elemento architettonico non ben definito. Ma la differenza piú interessante sta nella prospettiva del soffitto che, nel nostro disegno, ha un punto di fuga che rimane entro i limiti compositivi della scena, mentre nel disegno di Fragonard, e nella stampa, sembra tener conto dell'intero complesso dell'altare e il punto di fuga è spostato in conseguenza. Ci si aspetterebbe, dalla descrizione dello Zanetti, che anche la prospettiva dell'*Eucarestia*, sul lato destro dell'altare, fosse stata modificata allo stesso modo in direzione opposta. Ma la composizione di quel dipinto ci è nota non solo grazie al modelletto identificato dal Pallucchini in una collezione privata milanese (1952, pp. 81-82, 84, fig. 80), ma anche attraverso la stampa di Fragonard, l'acquatinta del Saint Non, i disegni del Ricci (dell'Accademia Carrara di Bergamo, della Städtisches Kunstsammlung di Düsseldorf, del Museo Correr e del mercato antiquario londinese; v. Ragghianti Collobi-Ragghianti, 1962, pp. 55-56; Daniels, 1976, p. 145; foto Freeman n. 61144) e del Fragonard (Ananoff, IV, 1970, n. 2607, fig. 659). In tutti questi casi la composizione non è oblunga come ci si aspetterebbe (per bilanciare il dipinto dall'altro lato dell'altare), ma di formato verticale e quindi del tutto indipendente dall'altra tela. Non conosciamo la storia dell'altare dopo il 1807, ma poiché i disegni del Ricci e le copie note sono tutte dello stesso formato del modelletto e delle stampe, è impossibile pensare che questa sezione dell'opera sia stata mutilata, per qualche motivo, prima del 1761, quando Fragonard la copiò. La mancanza di simmetria del complesso rimane dunque da spiegare. Comunque, lo stile del nostro disegno sembra a me piú facilmente conciliabile con quello del Ricci che con quello di Fragonard, e non incompatibile con il n. 68 di questo catalogo. Penso quindi di poter concludere che questo è uno schizzo preliminare del Ricci, utilizzato poi nel dipinto con alcune varianti.

68. SERMONE DELLA MONTAGNA (7228)

161 × 237. Sanguigna, pennello e acquerello grigio chiaro; controfondato. Sul supporto dello Skippe, a matita, *22 / Sebast: Ricci* e, di mano

di A.E. Popham, *Sebastiano Ricci*; sul *verso*, a matita, grafia del XVIII secolo, *N Poussin copia da Rafaele* e, a penna e inchiostro bruno, *N. 3* e, a sanguigna, *3*. COLL.: J. Skippe (v. L. 1529 a-b); P. Skippe Martin; E. Holland; Mrs A.C. Rayner Wood; E. Holland-Martin; F. Lugt (L. 1028); acquistato nel 1958. BIBL.: Londra, 1978-I, n. 23, tav. XIII, fig. 23 a. ESP.: Parigi, 1980, n. 24.

Lo stile di questo disegno non è il piú tipico del Ricci, ma il suo rapporto con un dipinto dello stesso soggetto, segnalato da J. Daniels che ha recentemente scoperto il quadro in una collezione privata di Aberdeen (Londra, 1978-I, n. 23, tav. XIII, fig. 23), è perfettamente convincente. Le analogie, cosí come le differenze, tra dipinto e disegno provano che questo è uno schizzo preliminare per la composizione del quadro, per il quale esistono altri due disegni: uno dell'album Ricci all'Accademia di Venezia (Udine, 1975, p. 134, fig. 80) e l'altro, con la composizione rovesciata, al Louvre (inv. 5324; proveniente dalla collezione di P.J. Mariette). Esiste anche un'altra tela dello stesso soggetto, ma di formato verticale e con solo qualche remota somiglianza con questa composizione; essa fu dipinta per il Console Smith e faceva parte di una serie di sette soggetti evangelici, acquistati da Giorgio III per le collezioni reali, ma ora perduti. Quel dipinto ci è però noto grazie all'incisione trattane nel 1742 da Jean-Michel Liotard (Daniels, 1976, n. 162).

Marco Ricci

1676 - 1730

69. FORESTA CON TAGLIALEGNA (1977 - T.61)

312 × 443. Tempera su carta applicata in origine su pelle di capra e ora su cartone. COLL.: Cicely, Marchesa di Zetland; collezionista anonimo (vendita, Londra, Sotheby's, 7.12.1976, n. 49; acquistato da Colnaghi per la Fondazione Custodia). ESP.: Parigi, 1976, n. 22.

Riprodotto com'era prima del restauro nel catalogo di Christie's (Londra 10.7.1973, n. 193): vi si notano le cadute di colore (frequenti nelle tempere di Marco Ricci di questo tipo) nella zona del cielo.

Tuttavia, le parti essenziali del quadro — particolarmente bello per luce e colore — sono intatte. Questo dipinto e il suo gemello — proveniente dalla stessa collezione (Londra, Christies, 10.7.1973, n. 192) — appartengono a una ben nota serie di paesaggi a tempera dell'artista, di cui esistono numerosi esempi nel Castello di Windsor (Blunt e Croft-Murray, 1957, p. 30 sgg., figg. 3-6, 8-9; Levey, 1964, pp. 94-96, nn. 591-622, tavv. 107-111). Il soggetto di questo dipinto (ma non la composizione) ricorda quello di una delle acqueforti di Marco Ricci (Bartsch, XXI, n. 14; Alpago-Novello, 1939-1940, n. 14; Bassano, 1963, n. 205) che corrisponde ad una tempera e al suo disegno preparatorio, ambedue nella Royal Collection di Windsor (Blunt e Croft-Murray, 1957, n. 75; Levey, 1964, n. 615). Un'altra tempera di soggetto analogo è stata di recente venduta a New York, da Christie's (7.1.1981, n. 35).

70. EDIFICI RUSTICI LUNGO UN FIUME (1039)

249 × 365. Penna e inchiostro bruno. Sul *verso*, scritta a penna e inchiostro bruno: *64 / di Marco Ricci venezian / Venezia 1723*, in grafia coeva; inoltre, a matita, *10* e *Marco Ricci 1680-1730*. COLL.: Ch D. Ginsburg (L. 1145); Tregaskis; F. Lugt (L. 1028); acquistato nel 1923. ESP.: Parigi, 1980, n. 23.

La torre con la sovrastruttura lignea ricorre costantemente nei paesaggi di Marco Ricci, sia nei disegni (come quello dell'Ashmolean Museum di Oxford: Parker, 1956, n. 1051; Bassano, 1963, n. 119), sia nelle stampe (Bassano, 1963, nn. 207, 208, 210, 216, 220, 221). Questi disegni a penna e acquerello, ispirati al paesaggio e alle architetture della campagna bellunese, venivano talora usati per la preparazione delle tempere del Ricci, dipinte su carta e poi applicate su stoffa o su pelle di capretto per appenderle al muro. Un dipinto di questo tipo, già nella collezione di W.H. Young Ottley, sembra essere una variante, da un punto di vista lievemente diverso, del nostro disegno (Londra, Sotheby's, 7.12.1976, n. 48).

71. APPARIZIONE DI GESÙ BAMBINO A SAN LORENZO GIUSTINIANI (1978 - T.80)

399 × 193. Penna e inchiostro bruno; acquerello bruno su schizzo a carboncino; incorniciato con quattro linee in penna e inchiostro bruno che delimitano una centinatura; controfondato. COLL.: H. de Landau Finaly (L. 1334 c); Mme H. Finaly; Leo S. Olschki; J. Jankowski; Collezionista anonimo (vendita, Londra, Sotheby's, 29.5.1975); W. Apolloni, acquistato nel 1978. ESP.: Roma, 1978, n. 34, tav. XII; Parigi, 1980, n. 3.

È stato B. Meijer a suggerire quella che è sicuramente l'esatta interpretazione del soggetto, per analogia con la pala, datata 1697, di Bartolomeo Letterini in SS. Maria e Donato di Murano e con un foglio della Galleria Nazionale di Oslo, che illustrano ambedue il medesimo episodio e sono stati di recente pubblicati dallo stesso Meijer (1980, p. 29 sgg., fig. 2, tav. 12). S. Lorenzo Giustiniani venne canonizzato nel 1690 e, sei anni piú tardi, il governo della Repubblica autorizzò la fondazione di una confraternita intitolata alla Vergine e al Santo nella Chiesa dei SS. Maria e Donato. Il miracolo avvenne mentre S. Lorenzo celebrava la messa di Natale in S. Pietro di Castello. L'attribuzione del nostro disegno al Balestra deriva, a quanto sembra, dal catalogo Sotheby's (Londra, 29.5.1975, n. 157; vi era allora, sulla montatura, un'attribuzione moderna, del tutto insostenibile, a Carletto Caliari) e sono abbastanza convinto che sia esatta. Il disegno, tuttavia, è difficile da datare; può darsi che sia in rapporto con la fondazione della confraternita nel 1696, come la pala del Letterini, ma tutta la cronologia del Balestra è tutt'altro che semplice da definire. L'artista sembra aver subito vari influssi ed essere passato alternativamente, nel corso della sua lunga vita, da uno stile come questo ad un altro piú vigorosamente barocco, con reminescenze del Tintoretto, dei bolognesi del XVII secolo, di Luca Giordano e del primo Ricci. Due suoi dipinti tardi, ad esempio, ambedue firmati e datati ad un solo anno di distanza l'uno dall'altro — il *Caino e Abele* (1733) della Graves Art Gallery di Sheffield (Londra, 1951, n. 6) e il *Riposo durante la fuga in Egitto* (1732) della Galleria Národni di Praga (Dresda etc., 1968, p. 32, n. 1) — sono stilisticamente del tutto diversi: barocco il primo e marattesco-riccesco il secondo, che è ormai un dipinto del pieno Settecento e quasi lezioso. Tra i disegni correttamente attribuiti al Balestra vi è la stessa incoerenza stilistica: il disegno a gessetto, accuratamente finito, di *Venere che appare ad Enea* del Castello di Windsor (Schilling-Blunt, 1973, n. 23) è di carattere del tutto diverso da quello presente alla mostra, mentre un altro disegno delle collezioni reali, *La Trinità adorata da tre Santi* (Schilling-Blunt, 1973, n. 24), è molto piú simile al nostro anche se piú finito. Sarà utile il confronto con disegni, piú o meno simili, di altre collezioni, come il *Caino e Abele* della Staatliche Graphische Sammlung di Monaco (Battisti, 1954, fig. 5), il *S. Filippo Gonzaga* del museo di Castelvecchio di Verona (Battisti, 1954, fig. 3; Venezia, 1963-II, n. 4), la *S. Maria Maddalena* della Kunsthalle di Amburgo (foto Gernsheim n. 16743) e la *Gloria di S. Osvaldo* del British Museum (Venezia, 1966, n. 54). Nel Museo Nazionale di Stoccolma vi sono otto disegni che erano già attribuiti al Balestra nel 1730 (Bjurström, 1979, nn. 161-167).

Luca Carlevarijs

1663 - 1730

72. VECCHIO SACERDOTE (7220)

287 × 175. Matita. Scritta a matita di Skippe sul suo supporto: *P.L. Ghezzi. Verso*: tavola matematica comprendente l'intero foglio. COLL.: J. Skippe (v. L. 1529 a-b); P. Skippe Martin; E. Holland; Mrs. A.C. Rayner Wood; E. Holland-Martin; F. Lugt (L. 1028); acquistato nel 1958. ESP.: Parigi, 1980, n. 12.

L'attribuzione dello Skippe al Ghezzi (ora non piú visibile) fu accolta (con qualche riserva) dal Popham nel catalogo della vendita Skippe del novembre 1958. Penso invece che il disegno sia senza dubbio del Carlevarijs. Lo si confronti, ad esempio, con il *Gentiluomo veneziano*, folio 30 del volume di schizzi del Victoria and Albert Museum (Rizzi, 1967, p. 99, fig. 168; Ward-Jackson, 1980, p. 130, n. 984) e con molte delle figure singole, a olio su carta, dell'altro volume dello stesso museo (Rizzi, 1976, pp. 97-98, figg. 26 e 32; Kauffmann, 1973, I, pp. 56-57, 61). Lo stile è completamente diverso da quello del Ghezzi. La presenza sul verso di una tavola matematica sembra piuttosto appropriata, dato che il Carlevarijs è descritto come *Pictor Venetus et Mathematicae cultor egregius* nel sottotitolo di un'incisione di Giovanni Antonio Faldoni (Rizzi, 1967, p. 15, fig. 1), derivata da un ritratto di Bartolomeo Nazari che si conserva nell'Ashmolean Museum di Oxford (cat. 1956, n. 295; Mauroner, 1945, frontespizio).

Pittore veneziano, inizi del XVIII sec.

73. LA VERGINE E S. ROCCO INTERCEDONO PER LE ANIME DEL PURGATORIO (1971 - T.77)

472 × 302. Penna e inchiostro bruno con acquerello bruno su carboncino; incorniciato con quattro linee a penna e inchiostro bruno che delimitano una centinatura. *Verso*: schizzi di Santi o Apostoli (?) a sanguigna e acquerello bruno e altri schizzi di Santi tra le nuvole (?) a penna e inchiostro bruno scuro su sanguigna. Sul *recto*, a matita, grafia del XIX secolo, *Lucca Giordano*, sul *verso*, a matita, *du Cabinet Crozat*. COLL.: Pierre Crozat ? (v. L. 474); Collezionista anonimo (marchio illeggibile sul *recto*); M. König; C. König (L. 583); A. Stix (L. 2317 A); A. Gobiet; N. Chaikin; acquistato nel 1971. ESP.: Parigi, 1974, n. 70 (come attr. al Segala); Parigi, 1980, n. 1.

Il disegno sembra rivelare l'influsso di Luca Giordano, ma dovrebbe essere piú tardo e quasi certamente di un artista veneziano, forse un'opera giovanile di Giannantonio Pellegrini. Si confrontino i Santi del *verso* con la serie di disegni del Pellegrini nella collezione dell'Ossolineum a Breslau (Venezia, 1958, nn. 30-35; Venezia 1959-II, nn. 96-101). A. Bettagno (lettera del 12.8.1959) ha attribuito il disegno a Giovanni Segala, ma nel 1971 ha preferito il nome di Girolamo Brusafetto (comunicazione orale), attribuzione poi condivisa da L.C.J. Frerichs (comunicazione orale del 1973). Tali proposte non mi sembrano convincenti.

74. STUDIO PER UNA PALA D'ALTARE (1977 - T.38)

339 × 219. Penna e inchiostro bruno, acquerello bruno su carboncino; centinato; parte di una incorniciatura a penna e inchiostro bruno su carboncino è visibile in alto e a destra. In alto, al centro, a penna e inchiostro bruno la scritta, mezzo abrasa, *Veronese*. COLL.: Collezionista anonimo (vendita, Parigi, Drouot, 8.12.1974); J. Petit Horry; acquistato nel 1977. ESP.: Parigi, 1980, n. 13.

Opera tipica di Gaspare Diziani, e piuttosto tarda. Come ha osservato Carlos van Hasselt, il soggetto è lo stesso della pala di Giannantonio Guardi nella chiesa di S. Antonio Abate di Belvedere di Grado (Morassi, 1973, n. 63, figg. 70 e 72, tav. IX), con la sola differenza che nel dipinto la Vergine è seduta su un alto trono. La chiesa venne costruita nel 1746 ed è possibile che il Diziani fosse uno dei candidati per quella pala, commissionata poi ad Antonio Guardi, che era di nove anni piú giovane di Gaspare. Vi è però un rapporto ancora piú stretto tra la composizione di questo disegno e il foglio — già nella collezione Wallraf — esposto alla Fondazione Giorgio Cini nel 1959 (Venezia, 1959-III, n. 19). Nel catalogo, il Morassi lo attribuiva a Giuseppe Diziani (uno dei figli di Gaspare) e il rapporto col nostro disegno può rafforzare tale ipotesi: è infatti difficile che i due disegni siano della stessa mano, ma è probabile che Giuseppe Diziani stesse imitando, nel disegno Wallraf, una composizione del padre.

75. FIGURA DI ECCLESIASTICO (6017)

403 × 303. Carboncino e carbone, rialzato a gessetto bianco su carta grigia. COLL.: A.M. Zanetti il Vecchio (?); Principe J.W. von Liechtenstein; Principe J. II von und zu Liechtenstein; Principe F.J. II von Liechtenstein; W. Feilchenfeldt; F. Lugt (L. 1028); acquistato nel 1948. BIBL.: Byam Shaw, 1976-II, pp. 388-390, fig. 1. ESP.: Parigi, 1980, n. 20.

Queste figure a mezzo busto del Piazzetta — talora santi ed apostoli ma piú spesso gente comune — ebbero un'enorme diffusione grazie alle copie che ne furono tratte dagli allievi e alle incisioni di artisti contemporanei, specialmente di Marco Pitteri. Non mi risulta che questa sia stata incisa, ma ho già avuto occasione di segnalare l'esistenza di almeno quattro altri disegni della stessa composizione: a) al Castello di Windsor, Royal Library (Blunt e Croft-Murray, 1957, n. 35, tav. 13); b) a Berlino, Kupferstichkabinett (inv. K.d.Z. 4088); c) a Venezia, Museo Correr (definito una copia dal Pallucchini, 1934, p. 58); d) già a Vienna, collezione Benno Geiger (vendita, Londra, Sotheby's, 7-10.12.1920, n. 229). Di questi, i tre di Berlino, Venezia e della vendita Geiger sono certamente di qualità inferiore e devono essere copie eseguite da uno degli allievi del Piazzetta — Giulia Lama, Giuseppe Angeli, Francesco Capella, Domenico Maggiotto o il poco noto Egidio dell'Olio. La versione di Windsor è piú bella, ma sono convinto che la migliore delle cinque è quella presente alla mostra, soprattutto nel modellato della fronte e della guancia, nella prospettiva e nei particolari degli occhi, del naso e della bocca. Il disegno di Windsor differisce da questo nel risvolto della cappa, non cosí rialzato dietro l'orecchio, e nella parte inferiore, meno ben definita. Penso che possa essere una replica autografa del Piazzetta, forse una «bella copia» del nostro disegno eseguita per scopi didattici. È in condizioni cattive: il contorno della guancia sinistra è quasi sparito, la guancia destra è macchiata e la carta, azzurra in origine, è ora sbiadita e grigiastra. Nel Kupferstichkabinett di Dresda (inv. C. 1910-21) esiste un'altra variante dello stesso modello, ma in posizione piú frontale e con la mano sinistra visibile, invece della destra. Non conosco altri casi di repliche tanto numerose di disegni del Piazzetta.

Antonio Visentini

1688 - 1782

76. ALLEGORIA DEL COMMERCIO DELLA LANA (1981 - T.3)

389 × 285. La parte centrale a penna e inchiostro azzurro con acquerello azzurro, rialzata a biacca; il resto a penna e acquerelli su carboncino, con tracce di guazzo. COLL.: E. Fatio; W. Schab; P. Wallraf; Baskett e Day; acquistato nel 1981. ESP.: Londra, 1976, n. 17; Parigi, 1980, n. 45.

Nel catalogo della vendita Fatio (Ginevra, N. Rauch, 3-4.6.1959, n. 99) il disegno era presentato senza un'attribuzione precisa e il monogramma era interpretato come *I.N.*. Ricomparve poi alla Schab Gallery di New York (cat. 28, n. 34A) con l'attribuzione al Visentini, considerato come studio per il frontespizio di un'opera sull'architettura veneziana; il monogramma era letto come una firma *AVI*. In realtà, gli emblemi della cornice e la tosatura delle pecore (nell'ovale centrale) provano con certezza che l'allegoria ha a che vedere con il commercio della lana. Il leone di S. Marco e la filigrana della carta (molto comune nei disegni veneziani del XVIII secolo) indicano senza dubbio Venezia come luogo d'origine. L'attribuzione al Visentini trova varie conferme sul piano stilistico. La cornice barocca e il modo in cui vi sono incorporati gli strumenti e i materiali dell'industria laniera ricordano da vicino analoghi motivi di alcuni disegni del Visentini di Windsor e del British Museum, anche se questi — in quanto modelli diretti per l'incisione — sono eseguiti con una tecnica diversa e piú lineare. Mi riferisco in particolare ai progetti per l'insegna di Giambattista Pasquali e per la stampa con *Le reliquie del Beato Pietro Orseolo*, ambedue al Castello di Windsor (Blunt e Croft-Murray, 1957, nn. 511 e 527); e inoltre ai due frontespizi inclusi nel volume di disegni del Visentini preparatori per le incisioni tratte dalle vedute di Venezia del Canaletto, pervenuto al British Museum con la biblioteca di Giorgio III (Links, 1971, pp. 3-4). In uno dei due frontespizi si nota sulla destra una figura femminile (La Fortezza?) che ricorda la Minerva del nostro disegno. Quanto al monogramma sul medaglione (con la data *1720*), non può trattarsi della firma di un artista, ma bensí del marchio di una ditta, poiché esso è ripetuto anche sulla bolla che pende dalla pezza di stoffa sul lato sinistro della cornice. I lanifici veneti applicavano comunemente bulle plumbee di questo tipo ai loro tessuti: se ne rinvengono ancor oggi lungo i margini della Laguna e ne esiste un certo numero nelle collezioni di reperti lagunari della Ca' d'Oro.

Giambattista Tiepolo
1696 - 1770

77. ISTITUZIONE DELL'EUCARESTIA (4155)

259 × 415. Penna e inchiostro bruno, con acquerello bruno su carboncino. COLL.: G.V. Orloff (?); A. Orloff; L. Grassi (v. L. 1171 b);

F. Lugt (L. 1028); acquistato nel 1929. BIBL.: Knox, 1961, n. 47; New
York, 1971, p. 59, n. 124; Byam Shaw, 1976-II, pp. 390-391, fig. 4.
ESP.: Parigi-Rotterdam-Haarlem, 1962, n. 177, tav. CXXX; Parigi,
1971, n. 246; Parigi, 1980, n. 28.

Il soggetto ha avuto varie interpretazioni: semplicemente *Sujet tiré de
l'écriture Sainte* nel catalogo della vendita Orloff, *Lavanda dei piedi*
secondo G. Knox, *Festino di Erode* secondo il Morassi (lettera a F.
Lugt del 13.1.1962). L'ultima ipotesi è molto improbabile, data la
mancanza di figure femminili e della testa del Battista, ma nemmeno
l'interpretazione di G. Knox è esatta perché in quel caso la figura
inginocchiata, piuttosto insignificante, che ci volta le spalle, sarebbe
quella di Gesù mentre il personaggio piú importante che gli sta din-
nanzi, con il vassoio in mano, dovrebbere essere uno dei discepoli.
Questa figura invece è certamente quella di Cristo: è verso di lui che i
discepoli a sinistra si volgono in adorazione, mentre quello all'estremo
opposto della tavola china il capo in segno di profonda reverenza —
proprio come uno degli apostoli del bellissimo dipinto con l'*Ultima
Cena* del Louvre (Morassi, 1955, p. 21, fig. 24; 1962, p. 38). La
composizione del nostro disegno ha molto in comune con quella tela,
ma credo che sia precedente, degli anni 1735-1740. Domenico Tiepolo ha ripreso gli elementi essenziali della composizione (il che elimina
ogni residuo dubbio sull'identificazione del soggetto) nel suo dipinto
giovanile, datato 1752, dell'Alte Pinakothek di Monaco (Mariuz,
1971, tav. 42). G. Knox collega giustamente il nostro disegno con un
altro dell'album Orloff — *Cristo alla piscina probatica* (New York,
1971, n. 124) — esattamente dello stesso stile e quasi delle stesse
dimensioni, anche se l'uso dell'acquerello non è cosí efficace come qui
e la composizione è meno ben equilibrata.

78. EDIFICIO RUSTICO (473)

202 × 281. Penna e inchiostro bruno; acquerello bruno. COLL.: B.
Corniani Algarotti (?); E. Cheney (v. L. 444 e suppl.); A. Capel-Cure;
E. Parsons; F. Lugt (L. 1028), acquistato nel 1920. BIBL.: Hennus,
1950, p. 124; Byam Shaw, 1962, p. 86, n. 63; Knox, 1974, p. 57, n. 45.
ESP.: Parigi, 1935, n. 703; Parigi-Rotterdam-Haarlem, 1962, n. 184;
Parigi, 1971, pp. 168-169, n. 262; Parigi, 1980, n. 36.

Questo è probabilmente un foglio dell'album di disegni di paesaggio di Giambattista e di Domenico Tiepolo che può aver fatto parte della collezione Cheney (venduta a Londra, da Sotheby, nel 1885) e fu acquistato da E. Parsons. Nella sua interessante pubblicazione intitolata *Un quaderno di Vedute di Giambattista e Domenico Tiepolo*, G. Knox (1974, pp. 5-8) è riuscito a rintracciare 74 paesaggi che egli ritiene usciti dallo stesso album. Ho già avuto occasione di segnalare, nel 1956 (nota di F. Lugt negli archivi della Fondazione Custodia), che questo disegno è stato utilizzato da Domenico per lo sfondo di un suo foglio del Cleveland Museum of Art con *Zingari nel cortile di una fattoria* (Byam-Shaw, 1962, n. 63; Knox, 1974, p. 56); e che lo stesso arcone d'ingresso, ma visto dall'altra parte, figura anche in un disegno di formato verticale, già presso L. Blumenreich a Berlino (Von Hadeln, 1927-II, I, pp. 15-16, II, n. 115; Knox, 1974, n. 44) che io ritengo sia, come quello presente alla mostra, giustamente attribuito a Giambattista. G. Knox (1974, n. 42) segnala che in un disegno del Museo Boymans-van Beuningen di Rotterdam, anch'esso di Giambattista, si notano lo stesso muro e il pozzo che si intravvedono qui attraverso l'arco. Un altro disegno di Domenico — una *Scena rustica* — con lo stesso arcone visto dall'interno del granaio, il portone e la scala a pioli, si trovava di recente a Londra da Colnaghi (Londra, 1978-III, n. 68).

79. DUE FIGURE DI VIRTÙ (4149)

313 × 380. Penna e pennello con inchiostro bruno; acquerello bruno su carboncino. In basso a destra, a carboncino, grafia del XIX sec. *Tiepolo*. COLL.: E.L.D. Calando (L. 837); E.P.V. Calando; L. Grassi (L. 1171 b); F. Lugt (L. 1028); acquistato nel 1929. BIBL.: van Hasselt, 1964, p. 371; fig. 4; Byam Shaw, 1976-I, pp. 390-391, fig. 5; ESP.: Amsterdam, 1934, n. 666; Parigi, 1980, n. 29.

È questa, senza dubbio, la prima idea per il pennacchio di destra, vicino all'altare, del soffitto del salone principale della Scuola del Carmine a Venezia (Morassi, 1962, p. 58, fig. 206; Niero, 1963, pp. 34-35). L'opera, commissionata nel 1739-1740, fu portata a termine nel 1743. Le figure del disegno, prive di attributi, sono diventate nel dipinto la Giustizia e la Fortezza; il putto è stato spostato piú in basso a destra e al posto del piedestallo vi è la colonna della Fortezza. Lo stile è quello della brillante serie di schizzi per l'affresco di Palazzo Clerici a Milano — dipinto in quegli stessi anni (Morassi, 1955, p. 18, tavv. 25-27; 1962, p. 25) — molti dei quali si conservano ora alla Pierpont Morgan Library o al Metropolitan Museum of Art di New York (New York, 1971, nn. 74-93).

80. RITRATTO DI LORENZO TIEPOLO (3128)

274 × 202. Carboncino e gessetto su carta azzurra. Scritta in penna e inchiostro bruno, sul *verso ...f(lorins)*. *3-N° 2090* e *Tiepolo* di mano del sec. XIX. COLL.: G.D. Bossi; M.T. K. Bossi Beyerlen; A. Holmberg; G. Nebehay; F. Lugt (L. 1028); acquistato nel 1927. BIBL.: Molmenti, 1909, pp. 221-222; 239-241; Sack, 1910, p. 239, fig. 232; *Die Zeichnung*, 1928, vol. I; Byam Shaw, 1962, pp. 83-84, n. 54; 1976-II, pp. 390-393, 395, fig. 7; Knox, 1980, I, pp. 57, 230, n. M 166; II, tav. 174. ESP.: Haarlem, 1931, n. 393; Rotterdam, 1938, n. 469; Parigi-Rotterdam-Haarlem, 1962, n. 180; Parigi, 1980, n. 30.

Come già aveva osservato il Sack (1910, p. 239), questo è certamente un ritratto del figlio minore di Giambattista Tiepolo: Lorenzo. Nato nel 1736, egli accompagnò il padre e il fratello Domenico a Würzburg (1750-1753) e a Madrid (1762), ove morí nel 1776, sei anni dopo il padre. Ne ritroviamo l'immagine in vari dipinti della famiglia Tiepolo. Domenico lo ritrae due volte in una delle sue prime opere, la *Via Crucis* della Chiesa di S. Polo a Venezia, datata 1747:si vedano la Stazione IX, *Cristo cade sotto la Croce per la terza volta* (Mariuz, 1971, fig. 9), e VIII, *Cristo consola le donne piangenti* (Mariuz, 1971, p. 144, fig. 8). A quel tempo Lorenzo aveva undici anni e Domenico può aver utilizzato per quell'opera un disegno del padre. Si veda anche il ragazzo in primo piano nella pala dipinta da Domenico per la Parrocchiale di Merlengo, *S. Osvaldo implora un miracolo dalla Sacra Famiglia* (Mariuz, 1971, p. 125, fig. 27; Venezia, 1979, p. 64; Knox, 1980, I, n. P 140, II, tav. 122). Lorenzo è raffigurato anche in vari dipinti del padre: *I Santi Patroni della famiglia Crotta* dello Städelsches Kunstinstitut di Francoforte (Morassi, 1962, p. 12, fig. 109), il *Martirio di S. Agata* della Gemälde Galerie di Berlino (Morassi, 1955, tavv. 51 e V), *Il Battesimo di Costantino* della Parrocchiale di Folzano (Morassi, 1962, p. 12, fig. 111) e la *Comunione di S. Lucia* della Chiesa dei SS. Apostoli a Venezia (Morassi, 1962, p. 55, fig. 118; Rizzi, 1971, n. 130; Byam Shaw, 1976-II, p. 395. Il ragazzo raffigurato di profilo in un disegno del Museo Boymans-van Beuningen di Rotterdam (Vigni, 1959, p. 53, fig. 9; Knox, 1980, I, n. M 239) è certamente Lorenzo all'età di circa dieci anni, come nel nostro foglio.

81. TESTA DI VECCHIO BARBATO (4021)

310 × 215. Sanguigna e gessetto su carta azzurra. COLL.: P. Defer; H. Dumesnil (L. 739); B. d'Hendecourt; Savile Gallery, F. Lugt (L. 1028); acquistato nel 1929. BIBL.: Sack, 1910, n. 1143; Byam Shaw, 1976-II, pp. 392, 394, fig. 8; Knox, 1980, I, nn. M. 80 e M. 523. ESP.: Rotterdam, 1938, n. 468; Parigi, 1980, n.31.

Disegno in cattive condizioni, ma molto bello e sicuramente di Giambattista. Non mi risulta che sia stato utilizzato direttamente in qualche dipinto, ma è stato adattato da un tipo che appare frequentemente nelle opere del Tiepolo; si veda, ad esempio, uno degli apostoli dell'*Ultima Cena* della Parrocchiale di Desenzano — firmata da Giambattista e finita nel 1738, ma forse ridipinta da Domenico in un'epoca successiva (Morassi, 1962, p. 10, fig. 49) — oppure il dipinto con *Davide e Abigail* dello Städtisches Museum di Fürth (Morassi, 1962, p. 13, fig. 23), o ancora gli affreschi della Villa Valmarana, del 1757 circa (Morassi, 1955, fig. 49; 1962, pp. 64-65, figg. 230-231). Lo stesso modello appare anche alle spalle di uno dei due ladroni nella III stazione — *Cristo che cade sotto la Croce per la I volta* — della Via Crucis giovanile di Domenico (Mariuz, 1971, fig. 3; Rizzi, 1971, n. 43). Due disegni di Giambattista dello stesso vecchio di profilo e volto a sinistra, ambedue provenienti dalla collezione Bossi-Beyerlen, sono apparsi di recente sul mercato antiquario londinese (il primo è catalogato da G. Knox, 1980, I, n. M 603[a]; il secondo è stato posto un vendita a Londra: Sotheby's, 1.4.1981, n. 107. G. Knox dà per scontato che anche il nostro foglio facesse parte della collezione Bossi-Beyerlen (venduta a Stoccarda nel 1882), ma di ciò non esistono prove (v. Byam Shaw, 1962, pp. 19-20, nota 2; Stoccarda, 1970, pp. 7-9, 197-198, app. A e B; Cambridge, Mass., 1970, p. XIV). Le osservazioni dello studioso sul nostro disegno non sono chiare: nella sezione M 80 del suo catalogo sembra accettarlo come opera di Giambattista, mentre in M 523 lo cita come uno dei due disegni tratti dallo stesso modello da Lorenzo Tiepolo. Questa attribuzione è, a mio avviso, assolutamente da escludere per quanto riguarda il nostro disegno (non conosco l'altro). La confusione è aumentata dal fatto che M 80 figura a p. 218 sotto «Defer-Dumesnil», tra disegni provenienti dalla collezione Bossi-Beyerlen. Il Knox pensa che tutte le teste di questo tipo siano tratte da una scultura, il che non mi sembra affatto probabile.

82. TESTA DI VECCHIO (9053)

243 × 218. Carboncino con gessetto bianco su carta grigio azzurra. *Verso*: faccia rivolta verso il basso a carboncino, con studio di occhio sinistro a sanguigna. COLL.: A.L. de Mestral de Saint-Saphorin; F. De Cérenville e figli; pervenuto per lascito testamentario di Réne de Cérenville a F. Lugt (L. 1028) nel 1968. BIBL.: Knox, 1970, pp. 58-63, fig. 14 (come D. Tiepolo); Byam Shaw, 1976-II, pp. 392-394, figg. 9-10; Knox, 1980, I, pp. 70, 192, n. K 5 (come G.B. Tiepolo).

Nel 1970 G. Knox attribuiva questo disegno a Domenico Tiepolo e faceva osservare che era stato probabilmente utilizzato per la testa del santo di sinistra nella pala con i *Quattro Santi Camaldolesi* dipinta da Domenico prima del 1757 — come ha dimostrato la Frerichs (1971-I, p. 233 sgg.; Venezia, 1979, p. 108; Knox, 1980, I, nn. B 43-47, C 15, D 49, M. 139 M 466, P 311; II, tavv. 225-229) — per la Chiesa di S. Michele in Isola e ora a Verona nel Museo di Castelvecchio. Il disegno è in realtà derivato dal cosiddetto *Seneca*, il busto in bronzo del Museo Archeologico di Madrid nel quale O. Kurz (1942, p. 222 sgg., tavv. A-B) ha riconosciuto l'unica scultura ancora esistente di Guido Reni. G. Knox, che non aveva, in un primo tempo, osservato il rapporto con quel busto, accetta ora il mio punto di vista sull'attribuzione. Il bronzo originale venne portato in Spagna da Napoli nel 1759, quando Carlo III salí al trono spagnolo; ma il disegno deve essere precedente a quella data, se Domenico se ne è servito prima del 1757 per il S. Pietro Orseolo. G. Knox ha anche segnalato (1980) che la testa del bel disegno di Giambattista dell'Art Institute di Chicago che raffigura la *Morte di Seneca* (Joachim-Folds McCullagh, 1979, n. 116, tav. 123) rivela chiaramente la conoscenza del busto; e quel disegno, anche se non è cosí antico come suggerisce il Knox (che lo situa nel quarto decennio) è però certamente precedente al 1750. Sono convinto che anche il nostro disegno è opera di Giambattista, che deve però aver preso a modello non l'originale, ma uno dei calchi che venivano inviati in tutte le scuole d'arte del tempo, come ci informa il Malvasia (1678, p. 405). Uno di quei calchi in gesso si trova ora nelle collezioni Liechtenstein (Kurz, 1942, tav. C) e fu forse portato a Vienna da Venezia nel Settecento, quando Anton Maria Zanetti il Vecchio dava consigli al Principe Joseph Wenzel di Liechtenstein sulla formazione delle sue raccolte d'arte. Il *Seneca* forní probabilmente un utile modello alla famiglia Tiepolo, proprio come il busto in terracotta di Palma il Giovane, scolpito da Alessandro Vittoria, che serví da modello (come

K. Parker ha osservato per primo) per tanti dipinti e disegni di Giambattista e dei suoi due figli (Parker, 1956, II, n. 1101; Maison, 1968, pp. 392-394; New York, 1973, n. 71). Il fatto che il nostro disegno sia stato usato in un dipinto di Domenico non costituisce quindi una prova conclusiva per deciderne la paternità. A me sembra però impossibile che questa testa cosí bella, dallo scorcio tanto efficace, possa essere della stessa mano che ha eseguito lo studio — piuttosto impacciato — per la testa della Beata Lucia di Stifonte, che si trova all'Albertina di Vienna ed è sicuramente di Domenico (Byam Shaw, 1962, n. 55; Venezia, 1979, p. 108). Nel suo articolo sui disegni dei Tiepolo della Collezione Saint-Saphorin, G. Knox riproduce, come di Domenico, un'altra testa usata per il S. Teobaldo della stessa pala, ora nella collezione del Langravio Philipp von Hesse, allo Schloss Fasanerie presso Fulda (Knox, 1970, pp. 62-63, fig. 16; Venezia, 1979, p. 108, Knox, 1980, I, M 139); anche in questo caso penso che il disegno sia di Giambattista. Non mi è riuscito di scoprire particolari collegamenti per il lieve studio di una testa maschile (?) sul *verso* del nostro foglio, ma è anch'esso sicuramente di Giambattista. La sigla *GB* a matita, sul *verso*, sta, secondo Janos Scholz (lettera dell'11.6.1968) per *Giovanni Battista* Tiepolo ed è di mano di René de Céreville. Scholz conferma decisamente tale attribuzione.

83. SACRA FAMIGLIA (3504)

295 × 192. Penna e inchiostro bruno, acquerello grigio-bruno su carboncino. COLL.: Convento Somasco, S. Maria della Salute, Venezia; L. Cicognara; A. Canova: G.B. Sartori-Canova; F. Pesaro; E. Cheney; A. Capel-Cure; W. Fagg; B.T. Batsford; E. Parsons; Savile Gallery; F. Lugt (L. 1028); acquistato nel 1928. BIBL.: Byam Shaw, 1976-II, pp. 390-391, 393, fig. 6. ESP.: Londra, 1928, n. 19; Parigi-Rotterdam-Haarlem, 1962, n. 176, tav. CXXX; Parigi, 1980, n. 33.

Il disegno proviene da un album che fu smembrato per la vendita nel 1928 dalla Savile Gallery di Londra. Esso conteneva un'annotazione di Edward Cheney, datata Venezia 1842, che informava che l'album era uno dei molti donati dallo stesso Giambattista al monastero dei Padri Somaschi (dove il suo secondo figlio, Giuseppe Maria, era professo) prima della sua partenza per la Spagna, insieme con Domenico e Lorenzo, nel 1762. La nota forniva anche notizie sulle successive vicende dei volumi (v. Cambridge, Mass., 1970, pp. XIII-XVII; Knox, 1975, pp. 3-9, 30-31, note 1-13). Questa è una delle piú belle tra le moltissime variazioni sullo stesso tema disegnate dal Tiepolo nel sesto decennio. Molte di queste, appartenenti allo stesso album, furono poste in vendita a Londra nel 1928; da allora hanno cambiato proprietario almeno una volta. Secondo G. Knox (Cambridge, Mass., 1970, p. XIV) l'album conteneva 67 varianti sul tema della *Sacra Famiglia* e 93 studi di teste, quasi tutti a penna e acquerello bruno e tutti su carta bianca. Uno fra i primi acquirenti fu Richard Owen a Parigi, alla cui morte, nel 1952, i disegni passarono in parte a T. Harris (Londra, 1955; e da lui, nel 1963, a R. Heinemann: v. New York, 1973, nn. 62-65) e in parte a Colnaghi, a Londra. Altri sono ora sparsi in varie collezioni europee e degli Stati Uniti; si vedano, ad esempio, gli undici fogli provenienti dalla collezione Talleyrand, esposti alla Fondazione Giorgio Cini nel 1980 (Venezia, 1980, nn. 83-92).

84. CARICATURA DI SACERDOTE (1358)

189 × 98. Penna e inchiostro grigio-nero; acquerello grigio, controfondato. COLL.: L. Grassi (L. 1171b); F. Lugt (L. 1028); acquistato nel 1923. ESP.: Parigi, 1980, n. 42.

In questo caso vi sono pochi elementi per distinguere la mano di Giambattista Tiepolo da quella del figlio Domenico, autore anche lui di disegni di questo tipo (Levey, 1962, p. 119; Byam Shaw, 1962, p. 49; Knox, 1975, p. 6; New York, 1973, n. 73); questa è stilisticamente molto simile alle numerose caricature della collezione Sartorio, del Museo Civico di Storia e Arte di Trieste, ottimamente catalogate da G. Vigni (1942; Byam Shaw, 1962, n. 79). In un primo tempo ero propenso ad assegnare questo disegno a Domenico, ma penso ora che Pietro Scarpa (lettera del 18.12.1980 a C. van Hasselt) abbia ragione di preferire l'attribuzione a Giambattista, il cui segno è piú spontaneo ed essenziale. Molti di questi fogli di caricature (compreso il nostro) sono privi degli angoli: forse furono strappati per staccare i disegni da un album oppure vennero tagliati perché macchiati di colla.

85. GUERRIERO ORIENTALE (474)

220 × 152. Penna e inchiostro bruno; acquerello bruno. *Verso*: lievi schizzi di teste della Vergine, del Bambino e di san Giuseppe, a penna e inchiostro bruno. COLL.: B. Corniani-Algarotti (?); E. Cheney (v. L. 444 e suppl.); A. Capel-Cure; W. Fagg; B.T. Batsford; E. Parsons; F.

Lugt (L. 1028); acquistato nel 1920. Esp.: Amsterdam, 1934, n. 659;
Parigi, 1935, n. 702; Parigi, 1980, n. 34.

Fu dall'antiquario londinese E. Parsons che il Victoria and Albert
Museum acquistò (per undici sterline) nel 1885 i due volumi di disegni dei Tiepolo catalogati nel 1960 da G. Knox. Lo studioso scoprí
che la vendita Cheney del 1885 (da Sotheby's) comprendeva nove
volumi di disegni dei Tiepolo, non due come era stampato nel catalogo, ed essi furono senza dubbio tutti acquistati (per quindici sterline)
dal Parsons (per le successive vicende dei volumi si veda la bella
introduzione di G. Knox all'edizione del 1975, pp. 3-9 e 30-31). È
probabile che tre di quegli album, venduti ancora intatti dal Parsons
nello stesso anno o poco dopo, siano stati poi riacquistati dalla stessa
ditta (nel 1914, da Christie's) e infine smembrati per metterne in
vendita, dopo la guerra, i singoli fogli. Questo disegno è esattamente
dello stile delle *Sole Figure Vestite* che compongono uno degli album
del Victoria and Albert Museum (89 disegni in tutto). Sulla bella
rilegatura del volume, oltre al titolo, vi è l'indicazione T:1, che sta
probabilmente per Tomo I, e la nostra figura può aver fatto parte di
un successivo tomo II o III. Vi sono figure simili a questa in molte
altre collezioni e alcune hanno sicuramente la stessa provenienza. Si
vedano, ad esempio, i disegni della collezione Heinemann (New
York, 1979, nn. 44-50) e dell'Art Museum di Princeton (Gibbons,
1977, I, nn. 590, 619-622, 626-627). Altri, come quelli della collezione
Sartorio, donati nel 1893 al Museo Civico di Trieste (Vigni, 1942),
potrebbe forse avere un'origine diversa. Quanto alle teste sul *verso* del
nostro disegno, esse sono probabilmente l'inizio sfortunato di una di
quelle ben note variazioni sul tema della *Sacra Famiglia* di cui è presente un esempio alla mostra con il n. 83.

86. FIGURA MASCHILE DI SCORCIO (4153)

215 × 161. Penna e inchiostro bruno, acquerello bruno. COLL.: v. n.
85; acquistato nel 1929. ESP.: Parigi, 1980, n. 35.

Databile intorno al 1740, o poco dopo. Molte figure viste di scorcio,
come questa, dovevano essere incluse in uno o piú dei nove volumi
venduti da Sotheby's nell'aprile del 1885 e poi distribuiti dal Parsons
tra vari collezionisti, nel periodo tra il 1920 e la liquidazione della ditta
nel 1935 (Knox, 1975, pp. 3-9 e 30-31; v. anche L. 2881 suppl.).
Alcune appartengono ora all'Art Museum di Princeton (Gibbons,

1977, I, nn. 593-601, 604-618) o alla Yale University Art Gallery di New Haven (Cambridge, Mass., 1970, n. 80). Anche queste provenivano sicuramente dall'album intitolato *Sole figure per Soffitti*, acquistato dal Parsons nel 1914 (da Christie's). Ve ne sono molte anche al Museo Civico di Trieste (Vigni, 1942).

87. ANGELO CON TURIBOLO (6415)

270 × 203. Sanguigna e gessetto su carta azzurra scolorita; contronfondato. COLL.: Collezionista anonimo (vendita, Parigi, Drouot, Rheims-Cailac, 6.6.1951, n. 176, come Lorenzo Tiepolo); F. Lugt (L. 1028). BIBL.: Knox, 1980, I, n. M 168, II, tav. 13 (come G.B. Tiepolo). ESP.: Parigi, 1980, n. 38.

La figura ricorda molto da vicino l'angelo sorretto da un putto che agita il turibolo tra le nuvole nel *Sacrificio di Melchisedech*, una delle due grandi tele (l'altra rappresenta *La caduta della manna*) dipinte da Giambattista negli anni c. 1740-1743 per la Parrocchiale di Verolanuova (Udine, 1971, nn. 33, 34). Molti critici giudicheranno probabilmente questo disegno una copia a posteriori di un particolare del dipinto, eseguita da uno dei figli dell'artista; è questa infatti l'opinione della maggior parte degli studiosi su quella serie di disegni — conservati per la maggior parte a Stoccarda — che corrispondono esattamente a vari particolari degli affreschi di Würzburg o (come nel nostro caso) di altre opere di Giambattista. G. Knox pensa invece che essi siano studi preparatori di mano dello stesso Giambattista, usati durante l'esecuzione degli affreschi della Residenz di Würzburg (1751-1753) e di altre opere di quel periodo (si veda il catalogo, a cura di G. Knox, della mostra di Stoccarda del 1970 e la mia recensione in «Master Drawings», 1971, pp. 264-276, in particolare pp. 271-273). In realtà, questo nostro disegno è piú rapido e sommario e ha meno l'aspetto di una copia di alcuni di quelli di Stoccarda, che anche a me sembrano repliche. Inoltre, il fatto che sia collegato con un'opera di grandi dimensioni, eseguita in una località piuttosto remota, quando Domenico era un ragazzo e Lorenzo ancora un bambino, suffragherebbe l'ipotesi che possa trattarsi di uno schizzo preliminare originale di Giambattista. Logicamente, anche G. Knox lo considera tale. Un altro disegno a gessetto, circa delle stesse dimensioni, della figura di Melchisedech della stessa pala e del gruppo di donne nello sfondo a sinistra, si trovava nel 1930 a Vienna nella collezione Hevesi. È meno sommario del nostro angelo e, se ambedue fossero repliche, ciò si potrebbe spiegare col fatto che la figura del Grande Sacerdote era piú facilmente visibile da terra. Altrimenti, gli argomenti a favore dell'originalità del nostro foglio valgono anche per il foglio Hevesi (Knox, 1980, I, n. M 54; II, tav. 14). Tra i molti disegni connessi con le due pale che G. Knox assegna a Giambattista, i due di Francoforte (Knox, 1980, I, nn. M. 101-102; v. anche M. 200) sono, a mio avviso, evidenti copie da *La caduta della manna*, ma sono stilisticamente molto diversi sia dal disegno Hevesi che dal nostro.

88. MELEAGRO (1981 - T.4)

298 × 201. Penna e inchiostro bruno chiaro, acquerello bruno chiaro, su carboncino; controfondato. Qualche pentimento sulle gambe e sul naso del cane. Sotto la figura, a penna e inchiostro nero, la scritta *MELEAGRO* e il n. *16* (a destra), ambedue autografi. Sul supporto, a matita, *Tiepolo 577*. Sul *verso* è visibile la scritta, a penna e inchiostro nero, *Meleagro 16*. COLL.: E. von Hoffmansthal; Y. Tan Bunzl; collezione privata, Parigi; acquistato nel 1980. BIBL.: Byam Shaw, 1976-II, pp. 392, 394, 395, fig. 12. ESP.: Londra, 1978-IV, n. 62, tav. XVI; Parigi, 1980, n. 37.

Disegno originale di Giambattista, di delicata fattura, dal quale Domenico trasse un'ottima copia, presente alla mostra con il n. 89. Nulla potrebbe illustrare meglio la differenza tra la tecnica del padre e quella del figlio. Il foglio appartiene alla serie delle divinità pagane di Giambattista, che recano spesso scritte e numeri autografi (il numero piú alto è il 30) dell'artista, e dovevano forse servire di ispirazione per opere di scultura. Vi erano molte statue di questo tipo sul frontone dell'edificio principale e sulle balaustrate delle scuderie e della foresteria della Villa Cordellina di Montecchio Maggiore, dove Giambattista lavorò nel 1743. Ad eccezione dei bei gruppi dell'album Cheney — ora al Victoria and Albert Museum di Londra — messi in rapporto da G. Knox (1960, pp. 16-17, 55,56, nn. 74-80) con le sculture della Cordellina (Semenzato, 1967, pp. 37-38, 105-106; Schiavo, 1975, p. 53 sgg., figg. 40-54), i disegni raffigurano generalmente figure singole. Sono sparsi in varie collezioni: ricordiamo, ad esempio, i cinque del Kupferstichkabinett di Berlino (inv. 4487-4490 e 12322: *Venus e Cupido, Zephyrus, Narcissus, Proserpina, Pandora*) e il *Nettuno* esposto alla Fondazione Giorgio Cini (Venezia, 1980, n. 75).

89. MELEAGRO (1357)

286 × 150. Penna e inchiostro bruno, acquerello bruno su carboncino. Firmato in basso a sinistra, a penna e inchiostro bruno, *Dom. Tiepolo f.* Sul *verso*, a penna e inchiostro bruno, *Meleagro*, ripetuto sopra (piú in grande) a carboncino, ambedue forse autografi. COLL.: L. Grassi (L. 1171 b); F. Lugt (L. 1028); acquistato nel 1923. BIBL.: Byam Shaw, 1976-II, pp. 392, 394, 395, fig. 11. ESP.: Parigi, 1980, n. 39.

Libera copia di Domenico Tiepolo dal n. 88. Domenico imitò la serie delle divinità pagane del padre in un gruppo di disegni anch'essi forse eseguiti pensando a delle statue da giardino (Venezia, 1955, nn. 92, 93; Byam Shaw, 1962, pp. 39-40, 79, n. 35). Altri due *Meleagro* di Domenico (erroneamente definiti *Endimione*) della collezione Wallraf, furono esposti alla Fondazione Giorgio Cini nel 1959 (Venezia, 1959-III, nn. 97-98). I personaggi mitologici di Domenico, di cui esistono altri esempi al Metropolitan Museum di New York e all'Art Museum di Princeton, sono numerati in grafia settecentesca; il numero piú alto è il 98.

90. DUE STRUZZI (944)

167 × 188. Penna e inchiostro bruno; acquerello bruno; incorniciato da quattro line a penna e inchiostro bruno. COLL.: G. Nebehay; F. Lugt (L. 1028); acquistato nel 1923. BIBL.: Byam Shaw, 1962, pp. 44, 81, n. 45, p. 93, n. 93; Stoccarda, 1970, p. 95, n. 88; Byam Shaw, 1976-II, p. 392, 395; Bloomington-Stanford-New York, 1979-80, p. 86, n. 25 e p. 152, n. S 38; Knox, 1980, I, pp. 223-224, n. M. 117 a-b. ESP.: Parigi, 1971, n. 306; Parigi, 1980, n. 40.

Tutti gli animali di questo foglio sono liberamente derivati da stampe di Stefano della Bella della serie delle *Scene di caccia*: gli struzzi dal n. 732, la testa di cinghiale dal n. 736 e il cervo in corsa dal n. 735 del volume del de Vesme-Massar (1971, I, p. 114, II, pp. 140-141). Johann Elias Ridinger deve aver tratto dalla stessa fonte lo struzzo della sua stampa (Thienemann, 1856, n. 760) per la quale esiste anche il disegno preparatorio (già a Vienna presso Nebehay). Sulla via di Würzburg, i Tiepolo devono certamente essere passati per Augusta e avervi incontrato il Ridinger, che può forse aver indicato a Domenico le stampe di Stefano della Bella come fonte preziosa di modelli di animali (per altre derivazioni dal Ridinger v. Byam Shaw, 1938, pp. 56-57, tav. 59; 1959, pp. 392-395; 1962, pp. 44, 83, n. 53). Lo struzzo è raffigurato in posizione molto evidente sul soffitto dello scalone della Residenz di Würzburg — lungo il parapetto della sezione dell'Africa — e mi sembra probabile che sia stato proprio Domenico a dipingere questa parte dell'affresco (Von Freeden-Lamb, 1956, tavv. 93, 95; Stoccarda, 1970, p. 94). Il disegno di Stoccarda con lo struzzo (Stoccarda, 1970, n. 88) è attribuito da G. Knox (1980, I, n. M. 361 *recto*) a Giambattista, ma, a mio avviso, è solo una replica a posteriori di Domenico. In uno dei disegni della serie di *Pulcinella*, ora ad Oberlin nell'Ohio, nell'Allen Memorial Museum (Byam Shaw, 1962, n. 93; Bloomington — Stanford — New York, 1979-1980, n. 25) sono raffigurati ambedue gli struzzi. Il Sack (1910, nn. 38 e 39) cita due disegni a carboncino, firmati da Domenico, con gli stessi motivi del nostro e anch'essi copiati certamente dalle stesse stampe; i due, già nella collezione Habich, si trovano ora nella collezione Koenig-Fachsenfeld di Aalen, presso Stoccarda (Knox, 1980, I, nn. M 117 a-b).

91. QUAGLIE (2207)

251 × 183. Penna e inchiostro bruno; acquerello bruno su tracce di carboncino; incorniciato con quattro righe a penna e inchiostro bruno. Firmato, a destra, a penna e inchiostro bruno, *(d)om° Tiepolo f.*. COLL.: Ch de Burlet; F. Lugt (L.1028); acquistato nel 1925. BIBL.: Byam Shaw, 1962, p. 43; 1976-II, pp. 392, 394, fig. 13. ESP.: Amsterdam, 1934, n. 672; Parigi-Rotterdam-Haarlem, 1962, n. 200, tav. CXXV; Parigi, 1971, pp. 188-189, n. 305; 1980, n. 41.

Uno dei piú incantevoli disegni di animali di Domenico. I soggetti di questo tipo sono spesso derivati dalle stampe di Stefano della Bella e di Johann Elias Ridinger; ma in questo caso non mi è riuscito di individuare la fonte e queste quaglie potrebbero essere un'invenzione dell'artista.

92. MENDICANTE (2217)

182 × 159. Sanguigna; controfondato, COLL.: Ch. Eggimann (v. L. 530); F. Lugt (L. 1028); acquistato nel 1925. BIBL.: Byam Shaw, 1962, pp. 65, 84, n. 57 (come Domenico Tiepolo); Muraro, 1970-I, pp. 78-79, fig. 25; 1970-II, pp. 281-282, fig. 21; Byam Shaw, 1976-II, pp. 392, 394; Knox, 1980, I, nn. M 74 e M 167 (come Domenico Tiepolo). ESP.: Londra, 1963-64, n. 320; Parigi, 1971, pp. 186-187, n. 300; Parigi, 1980, n. 43.

Janos Scholz (comunicazione orale del 1958) pensa che questo disegno sia opera di Giambattista, il che concorderebbe con la vecchia attribuzione di H. Voss (comunicazione del 1928). Il viso è però disegnato in modo troppo esitante per essere di Giambattista e G. Knox, nel suo recente catalogo dei disegni a gessetto dei Tiepolo, accetta l'attribuzione a Domenico da me proposta nel 1962. Secondo una nota di J. Scholz sul supporto, questo disegno proverrebbe dalle collezioni di Armand Louis de Mestral de Saint Saphorin, Ferdinand de Cérenville, Edouard e René de Cérenville; la fonte di questa notizia mi è ignota (v. Knox, 1970, pp. 58-63; e il n. 82 del nostro catalogo).

Antonio Canal d. Canaletto
1697 - 1768

93. PONTE AL CHIARO DI LUNA (5067)

250 × 178. Penna e inchiostro bruno, con acquerello grigio su lievi tracce a matita; doppia incorniciatura (fuorché a sinistra) a penna e inchiostro bruno, forse di mano dell'artista. Controfondato (dal Canaletto?); altra incorniciatura dello stesso stile sul supporto (la carta dorata è stata probabilmente inserita in un momento successivo). Firmato (?) in basso a destra, a penna e inchiostro bruno, *canaletto*; sul *verso* del supporto, a matita, *Canaletto/539* e *49*. COLL.: D. Nevill; R. Nevill; H. Oppenheimer (v. L. 1351); F. Lugt (L. 1028); acquistato nel 1936. BIBL.: Von Hadeln, 1929, n. 15; 1930, p. 29; Hennus, 1950, p. 127; Constable, 1962, I, tav. 122, n. 162, II, n. 662; Byam Shaw, 1976-II, pp. 389-390, 395, fig. 3; Constable-Links, 1976, I, tav. 122, n.

162, II, n. 662. ESP.: Parigi-Rotterdam-Haarlem, 1962, n. 189, tav. CXXXVII; Parigi, 1971, n. 19; 1980, n. 10.

Incantevole capriccio, indubbiamente tardo, come quelli incisi da Fabio Berardi nella bottega di Giuseppe Wagner, che sono accompagnati da versi romantici. Il Constable ha osservato che una composizione molto simile (e ancora con la luna piena) figura anche in uno schizzo piuttosto sommario delle Gallerie dell'Accademia di Venezia, proveniente dalla collezione Viggiano (Constable-Links, 1976, I, tav. 121, II, n. 661). La firma è del tipo a piccole lettere descritto da K.T. Parker (1948, p. 20) nel catalogo di Windsor. La si ritrova anche sui piccoli disegni romani del British Museum, la cui attribuzione al Canaletto è accolta da T. Ashby e W.G. Constable (Ashby-Constable, 1925, pp. 207-214, 288-290; Constable-Links, 1976, I, tavv. 130-132, vol. II, n. 713), ma non dal Parker (1948, p. 50) o dal Von Hadeln (1929, p. 1). La stessa firma, però, compare anche su disegni indiscutibilmente autentici (Parker, 1948, p. 20; Constable-Links, 1976, I, tav. 156, II, n. 826) ed è sicuramente coeva. Le leggere linee geometriche a matita, tracciate con l'aiuto di un tirarighe per impostare le parti architettoniche, sono tipiche dei disegni eseguiti dall'artista nel suo studio. Per un attento esame della tecnica grafica del Canaletto, si veda il catalogo dei disegni di Windsor di K.T. Parker (1948, pp. 20-24).

94. INGRESSO DELL'ARSENALE (5481)

260 × 372. Penna e inchiostro bruno su carta brunastra; controfondato. COLL.: Max e Maurice Rosenheim (v. L. 396 a); P. e D. Colnaghi; C.R. Rudolf e A.P. Rudolf (v. L. 2811); F. Lugt (L. 1028); acquistato per scambio nel 1938. BIBL.: Parker, 1948, p. 34; Constable, 1962, I, tav. 110, II, p. 471; Kozakiewicz, 1972, II, p. 26, 450, n. Z 263 (come Canaletto); Puppi-Rosenberg, 1968 e 1975, n. 100; Constable-Links, 1976, I, tav. 110, II, pp. 324, 515; Byam Shaw, 1976-II, pp. 390-395. ESP.: Londra, 1911, n. 69; Parigi-Rotterdam-Haarlem, 1962, n. 188, tav. CXXXV; Parigi, 1971, n. 17; 1980, n. 11.

Fa parte di una coppia di disegni, stilisticamente identici, appartenuti ambedue in passato prima ai Rosenheim e poi a C.R. Rudolf; l'altro è una veduta di *S. Simeone Piccolo* e si trova attualmente a Londra nella collezione R.E.A. Drey (Constable-Links, 1976, II, n. 622 b). Il Parker, che li ha messi a confronto con le versioni degli stessi due soggetti della Royal Collection di Windsor (Parker, 1948, nn. 29, 32, tav. 31, fig. 13), pensa che siano del Bellotto. I due disegni sono effettivamente di segno piuttosto marcato, ma escludo che possano essere delle copie di quelli di Windsor, mi sembrano anzi di qualità leggermente superiore. Nel nostro le figure e le barche sono diverse da quelle della versione della Royal Collection e anche il punto di vista non è esattamente lo stesso e permette, ad esempio, di vedere meglio la parte inferiore del ponte con la macchia d'ombra scura sulla sinistra. I particolari, anche se spesso poco nitidi, sono descritti com maggiore precisione: si osservi lo scudo papale sulla porta dell'Oratorio della Madonna dell'Arsenale (demolito del 1809, cfr. Zorzi, 1972, II, pp. 304-305, figg. 238-239) e il leone di S. Marco sul frontone (trasformato nel disegno di Windsor in una semplice decorazione lineare). Le divergenze sono state accuratamente descritte dal Links nella seconda edizione del *Canaletto* del Constable (1976, II, n. 603); purtroppo, anche in quest'edizione, come nella prima (1962), il disegno riprodotto a tav. 110 non è quello di Windsor, bensí proprio la versione Lugt della quale ci stiamo ora occupando. Il Constable e il Kozakiewicz accettano ambedue l'attribuzione al Canaletto di questo nostro foglio. Ne esiste una versione molto simile a Darmstadt, nell'Hessisches Landesmuseum (Kozakiewicz, 1972, n. 27), eseguita dal Bellotto, il quale usava proprio questa stessa tecnica nel suo periodo giovanile. A Darmstadt vi è anche un altro disegno di quell'artista, firmato e datato 1740 (Kozakiewicz, 1972, n. 25; Pignatti, 1966, tav. 101, pp. 202-203) che corrisponde a una veduta di *SS. Giovanni e Paolo* del Canaletto, pure a Windsor (Parker, 1948, n. 40, fig. 21). Tuttavia, a me sembra di notare una differenza nelle figure del Bellotto, e quelle del nostro disegno fanno pensare piuttosto a Canaletto. Sono ora propenso a ritenere che ambedue le vedute — quella presente alla mostra e quella della collezione Drey — siano proprio del Canaletto, anche se non tra le sue cose migliori. Nel dipinto dello stesso soggetto della collezione del Duca di Bedford a Woburn Abbey (Constable-Links, 1976, I, tav. 53, II, n. 271) si notano alcune varianti sia rispetto al disegno di Windsor, sia rispetto a quello presente alla mostra. Il Links (1976, II, pp. 324-325) ha osservato che il campanile nello sfondo non può essere quello di S. Francesco della Vigna (come credeva il Constable), bensí quello della Chiesa della Celestia, demolita nel 1810.

95. EDUCAZIONE DELLA VERGINE (7227)

230 × 300. Sanguigna; controfondato. Sul supporto dello Skippe, di mano di A.E. Popham, *Sebastiano Ricci*. COLL.: J. Skippe (v. L. 1529 a-b); P. Skippe Martin; E. Holland; Mrs. A.C. Rayner Wood; E. Holland-Martin; F. Lugt (L. 1028); acquistato (come Sebastiano Ricci) nel 1958. BIBL.: Fenyö, 1965-II, pp. 256, 258, fig. 62; Morassi, 1973, I, p. 311; 1975, fig. 2 (illustrazione rovesciata); Binion, 1976, n.42, fig. 62; Byam Shaw, 1976-II, pp. 392, 395. ESP.: Nantes, 1966, n. 86; Parigi, 1971, n. 63; 1980, n. 14.

Giustamente attribuito ad Antonio Guardi dal Fenyö che lo ha messo in rapporto con la *Morte di S. Giuseppe* del Museo Bode di Berlino Est (Morassi, 1973, I, n. 30, II, figg. 29-31, tav. V). Il Morassi ha pubblicato un bellissimo dipinto della collezione Pospisil di Venezia dello stesso soggetto del nostro disegno, ma di formato verticale (Morassi, 1973, I, n. 23, II, fig. 32). Non vi sono corrispondenze precise, ma solo una certa somiglianza, in particolar modo nella figura di S. Giuseppe. Nell'angelo col turibolo in alto a sinistra è palese l'influsso di Sebastiano Ricci.

Francesco Guardi
1712 - 1793

96. CAPRICCIO VENEZIANO (5566)

137 × 188. Penna e inchiostro bruno chiaro, con acquerello bruno chiaro su qualche traccia di carboncino. COLL.: O. Gutekunst; F. Lugt (L. 1028); acquistato nel 1939. BIBL.: Morassi, 1975, n. 525, fig. 523; Byam Shaw, 1976-II, pp. 392, 395, fig. 14. ESP.: Parigi-Rotterdam-Haarlem, 1962, n. 195, tav. CXXIX; Parigi, 1980, n. 15.

Dello stile piú maturo di Francesco Guardi (dopo il 1780) e di soggetto simile a quello di un disegno della collezione Thaw di New York
(Byam Shaw, 1951, n. 57; Morassi, 1975, n. 523, fig. 517; New York,
1975, n. 50). Il colonnato in primo piano figura anche in qualche
quadro dell'artista e la scala esterna di palazzo, con il sottoportico,
può essere confrontata con quella di una tempera del Musée
Jacquemart-André di Parigi (Morassi, 1973, I, n. 763, II, fig. 697) e
con un altro dipinto, già a New York da Rosenberg e Stiebel (Morassi,
1973, I, n. 746, II, fig. 700).

Bartolommeo Nazari
1699 - 1758

97. RITRATTO DEL MONACO SERAPHIM PELLEGRINO (1978 - T.2)

290 × 217. Carbone, acquarellato, e biacca su carta grigio-azzurra.
Sulla cornice ovale la scritta a penna e inchiostro bruno *SERAPHIM* a
sinistra e *PELLEGRINO* a destra; sul *verso*, a matita, *N. X 5*. COLL.:
Conte Sormani (?); R. Piatti-Lochis (?) (v. L. 2026 c); F. Asta (v. L.
116 A); J. Scholz; Collezionista anonimo (vendita, Berlino, G. Bassen-
ge, 16.5.1972, n. 422 come «Italia, XVIII secolo»); Collezione privata
svizzera; J. Boehler; acquistato nel 1978. ESP.: Parigi, 1980, n. 16.

Il disegno proviene da un album che recava sul frontespizio la scritta
(a penna e inchiostro) *FAMILIA/AGUDIA/E/SORMANI* (forse in
riferimento al Conte Sormani di Milano, v. Virch, 1962, p. 39) e venne
smembrato prima del 1944 da F. Asta. Circa 41 fogli (compreso
questo) vennero acquistati nel 1948 da Janos Scholz, cui si deve l'esatta identificazione dell'autore. Nella collezione Scholz si conservano
ancora nove ritratti provenienti da quello stesso album, che in passato
veniva attribuito a Pietro Longhi. Uno di questi — indicato da un'i-
scrizione come il ritratto di Giovanni Pietro Rovillio e datato 1743 —
ha una cornice e un cartiglio di gusto rococò dello stesso stile di quelli
del nostro disegno (New York, 1971, n. 169) e lo stesso si può dire
anche di vari altri disegni della collezione Scholz (Pignatti, 1966, n.
106; Oakland-S. Francisco, 1960, n. 51). Esistono fogli analoghi anche all'Ambrosiana di Milano e in molte collezioni statunitensi, tra cui

il Metropolitan Museum di New York (Virch, 1962, n. 60). Altri due vennero esposti alla Galleria del Giudice di Genova nel 1971. Il Nazari dipinse i ritratti di G.B. Tiepolo (noto attraverso l'incisione di Giovanni Cattini; Molmenti, 1909, frontespizio), del Maresciallo Schulenburg (in collezione Donà dalle Rose nel 1934: foto Witt Library), di Sebastiano Ricci (nel 1733: Niedersächsische Landesgalerie, Hannover; Binion, 1976, pp. 298, 300, fig. 33), di Luca Carlevarijs (nel 1724; Ashmolean Museum, Oxford; cat. 1980, p. 66. n. A. 409; Mauroner, 1945, frontespizio), del Farinelli (nel 1734; Royal College of Music, Londra; Londra-Birmigham, 1951, n. 77; v. anche nn. 75-76 per altri ritratti del Nazari) e di Lady Mary Wortley-Montagu (Londra, Christie's, 24/3/1961, n. 36). Il nostro disegno, ricco di *humour* malgrado lo sfondo scuro, risente ancora un poco dell'influsso del Ghislandi.

Pietro Rotari

1707 - 1762

98. S. VINCENZO FERRERI RISUSCITA UN BAMBINO (1978 - T.12)

325 × 174. Penna e inchiostro bruno, acquerello grigio su carboncino; incorniciato dall'artista con quattro linee a penna e inchiostro bruno; quadrettato. Lungo il margine inferiore sinistro, scritta a penna e inchiostro bruno: *cav. P. Rottari.* COLL.: Conte di Bardi (L. 336); Principe H. de Bourbon Parme, Conte di Bardi; C. Slatkin; L. Goldschmidt; acquistato nel 1978. ESP.: Parigi, 1980, n. 27.

Il disegno, in condizioni non perfette, è un importante studio preparatorio per la pala di S. Anastasia di Verona (Barbariani, 1941, pp. 24, 107, 120, tav. III). Il Rotari fu uno degli artisti migliori del Settecento veronese, celebre per i ritratti, anche di soggetti popolari. I suoi dipinti di argomento religioso risalgono per la maggior parte al periodo giovanile e vi si avvertono influssi romani e napoletani. Si confronti il nostro disegno con la *Nascita della Vergine* (a penna, ma senza acquerello) del Museo Civico di Udine (Venezia, 1963-II, n. 75), recante un'antica iscrizione (forse una firma) e con il *S. Ubaldo che guarisce un ossesso* dell'Ermitage di Leningrado (Venezia, 1964, n. 81). Ambedue questi disegni sono in rapporto con le due pale dipinte nel 1741 circa per la Chiesa di S. Giovanni di Verdara, ora al Museo Civico di Padova (Grossato, 1957, nn. 175 e 185).

Francesco Fontebasso

1709 - 1769

QUATTRO STUDI PER SOPRAPPORTE CON I QUATTRO ELEMENTI

99. ACQUA (1981 - T.5)

137 × 187. Penna e inchiostro bruno. Scritta a penna e inchiostro bruno, probabilmente di mano dell'artista, *Acqua* e *17*. Di altra mano, a penna e inchiostro rosso-violaceo, *Sopra porte dei 4 elementi per la sala di Lucrania in Moscovia, alte piedi 3 lunghe 5*. COLL.: Lagrenée; De Bayser; acquistato nel 1980. ESP.: Parigi, 1980, n. 46 (non in catalogo).

100. FUOCO (1981 - T.6)

137 × 187. penna e inchiostro bruno. Scritta a penna e inchiostro bruno, probabilmente autografa, *Fuoco* e *16*. COLL.: Lagrenée, De Bayser; acquistato nel 1980. ESP.: Parigi, 1980, n. 47 (non in catalogo).

101. ARIA (1981 - T.7)

138 × 187. Penna e inchiostro bruno. Scritta a penna e inchiostro bruno, probabilmente autografa, *Aria* e *18*. COLL.: Lagrenée; De Bayser; acquistato nel 1980. ESP.: Parigi, 1980, n. 48 (non in catalogo).

102. TERRA (1981 - T.8)

138 × 187. Penna e inchiostro bruno. Scritta, probabilmente autografa, a penna e inchiostro bruno, *Terra* e, sotto, con inchiostro piú pallido, *Sopraporte N° 6 per Moscovia*. Sul *verso*, di mano dell'artista, a penna e inchiostro bruno, *Sopraporta de i 4 Elementi / pr. la Sala di*

Lucrania in Moscovia / alte piedi 3 e lunghe piedi 5 / 1762. COLL.:
Lagrenée; De Bayser; acquistato nel 1980. ESP.: Parigi, 1980, n. 49.

Come indica la data sul *verso* della *Terra*, questi quattro disegni furono probabilmente eseguiti in Russia, prima del ritorno del Fontebasso
a Venezia verso la fine dello stesso anno. Sono quindi opere della sua
maniera tarda, quando ormai gli influssi di Sebastiano Ricci e del
Tiepolo non sono piú avvertibili e l'artista ha adottato uno stile grafico
piú elegante che verrà imitato in particolar modo da Pierantonio
Novelli: si veda, ad esempiol il n. 107, dove le figure, anche se di
segno piú marcato, ricordano da vicino quella del *Fuoco*. I mutamenti
stilistici del Fontebasso sono sconcertanti: qualche suo disegno giovanile è molto simile a quelli di Gaspare Diziani, l'artista piú anziano
con il quale egli aveva collaborato alla decorazione del Palazzo Contarini di S. Beneto intorno al 1748 (Muraro, 1970-III, p. 53). Si vedano i
grandi «disegni da album», delle due serie dedicate, rispettivamente, a
temi biblici e di storia antica, conservati al Museo Correr e in varie
altre collezioni (Byam Shaw, 1954, p. 318 sgg.). Tuttavia, un disegno a
penna dell'Ecole des Beaux-Arts di Parigi, che raffigura la *Musica* e
reca la scritta (di mano contemporanea) *Original di Fran[∞] Fonte Basso*
(Byam Shaw, 1954, p. 317, fig. 311) è particolarmente vicino a questa
serie degli elementi. Non mi è riuscito di scoprire dove si trovasse la
sala di Lucrania (l'Ucraina?) ricordata nella scritta. Le decorazioni
eseguite dal Fontebasso su soprapporte e soffitti del Palazzo d'Inverno di S. Pietroburgo andarono completamente distrutte nel grande
incendio del 1837. Il Dobroklonsky ha pubblicato nel 1958 (pp. 186,
188, fig. 205) un bel disegno a vari colori del Fontebasso — conservato al Museo Russo di Leningrado — che potrebbe essere uno studio
preparatorio, oppure una copia a posteriori, della *Resurrezione di
Cristo* da lui dipinta sul soffitto della cappella del Palazzo d'Inverno.

Andrea Torresani (?)

c. 1727 - 1760

103. VECCHIE COSTRUZIONI PRESSO UN RUSCELLO (1188)

264 × 390. Penna e inchiostro bruno chiaro su carboncino. *Verso*:
schizzo piú lieve di architetture analoghe a quelle sul *recto*; scritta, in

grafia moderna, *Trevisani*, corretta in *Andrea Toresani*. COLL.: E. Parsons; F. Lugt (L. 1028); acquistato nel 1923. ESP.: Parigi, 1980, n. 44.

Lo stile e la tecnica sembrano quelli di Marco Ricci, ma gli alberi sono resi in modo del tutto diverso. Di Andrea Torresani si dice che abbia disegnato paesaggi alla maniera del Campagnola. Dipinti suoi si convervano al Musée Calvet di Avignone (cat. 1880, n. 546) e al Prado (nei depositi del museo secondo il Thieme-Becker, 1939, vol. XXXIII, p. 203) e vi è un gruppo di sette profili di dame dell'album di disegni di caricature del Console Smith, ora nella Royal Library di Windsor (Blunt e Croft-Murray, 1957, nn. 156-157, 161-165, figg. 40-45). Un disegno che raffigura un gruppo di contadini, un poco alla maniera di Giuseppe Zais (a carboncino e gessetto bianco su carta azzurra) — firmato *Andrea Toresani* — è stato esposto a Milano nel 1966 (Museo d'Arte Antica, cat. n. 43).

Pittore veneto, 2ª metà del XVIII sec.

104. PAESAGGIO CON CASE LUNGO UN FIUME (3881)

200 × 315. Penna e inchiostro bruno, acquerello grigio e tracce di colore su sanguigna. In basso, scritta autografa a penna e inchiostro bruno, *laqua di color...*; sul supporto dell'Udny, di mano di W. Esdaile, a penna e inchiostro bruno, *Rob¹ Udnys' coll^n 1803.P.* e, a matita, grafia del XIX secolo, *Houses on the bank of a river / by Tomani* (?) (il nome sembrerebbe alterato, forse da *Torresani*). COLL.: R. Udny (L. 2248 e suppl.); W. Esdaile (L. 2617, marchio parzialmente cancellato); Sir T. Lawrence (L. 2445); S. Woodburn (v. L. 2584); T. Harris; F. Lugt (L. 1028); acquistato nel 1929. ESP.: Parigi, 1980, n.2.

Se in origine la scritta a matita sul supporto di Robert Udny attribuiva effettivamente — come io ritengo — questo piacevole disegno ad Andrea Torresani, bisognerebbe allora metterlo in rapporto con il foglio precedente, che reca la stessa attribuzione (in grafia moderna). La tecnica del n. 103 è molto diversa, ma il carattere del paesaggio è lo stesso e non è forse da escludere che siano ambedue dello stesso autore. K. Boon (in una lettera a Carlos van Hasselt del 2.2.1977) ha osservato che un disegno di paesaggio del Rijksprentenkabinet di Amsterdam, attribuito dubitativamente a Marco Ricci (inv. '64:88; già nella collezione Koenigs di Haarlem), è della stessa mano del nostro. Non ho dubbi che sia cosí: su quel disegno vi sono delle scritte autografe (*sabion*, ripetuto due volte, sul *recto*, e un'altra, illeggibile, sul *verso*) molto simili a quelle che si leggono qui, e il modo, vago e sommario, di rendere il fogliame è assolutamente identico (si osservi, in particolare, il *verso* del foglio di Amsterdam). Il nostro paesaggio è ispirato a quelli della campagna bellunese, dove operò Marco Ricci, e mi fa pensare a Gaspare e Antonio Diziani — originari degli stessi luoghi — anche se non saprei citare alcun disegno di quegli artisti che sia davvero paragonabile a questo. Qui si avverte anche una qualche reminiscenza del Canaletto — come è già stato osservato — ma potrebbe trattarsi di un fatto casuale e non vi è nulla del genere nel disegno di Amsterdam. La tecnica ricorda vagamente quella di Francesco Zuccarelli.

Pietro Antonio Novelli
1729 - 1804

105. STUDIO PER L'INSEGNA DI FRANCESCO ZAPELLA (1981 - T.9)

167 × 125. Penna e inchiostro nero, acquerello grigio e bruno su carboncino. Scritta, a penna e inchiostro nero, *FABBRICA / DI PANNI DI SETA / ED IN ORO / DI / FRANCESCO ZAPELLA / A S. GIROLAMO / IN VENEZIA.* COLL.,: Collezionista anonimo (vendita, Londra, Sotheby's, 16.11.1972, n. 100); P. & D. Colnaghi; acquistato nel 1980. ESP.: Parigi, 1980, n. 19.

Questo grazioso disegno, tipico del Novelli, era sicuramente destinato ad essere inciso come biglietto con l'insegna di un commerciante di tessuti di seta e d'oro.

106. S. MARGHERITA IN ADORAZIONE DELLA TRINITÀ (1978 - T.1)

331 × 212. Penna e inchiostro nero; acquerello grigio. Scritta, probabilmente autografa, a penna e inchiostro nero, in basso a destra, *Parochianorum Eleemosinis / Angelo Trino S.T.D. Archipresbitero / Anno MDCCLXVIII / Petrus Ant. Novelli pinx.* e — fuori margine — *Larga Piedi 4* e *Alta Piedi 8*. N. *29*, a penna, sul *verso*, grafia del sec. XVIII. COLL.: Collezione privata svizzera; J. Boehler; acquistato nel 1978. ESP.: Monaco, 1977, n. 20; Parigi, 1980, n. 17.

Questo garbato disegno è un esempio davvero tipico della grafica del Novelli. Potrebbe essere il progetto per una pala d'altare, da sottoporre all'esame del committente (Angelo Trino), oppure una copia a posteriori del dipinto finito, eseguita dall'artista stesso. Le misure e la scritta con firma e data potrebbero far propendere per la prima ipotesi. Esistono molti altri disegni del Novelli dello stesso genere, spesso con annotate le misure, come nel nostro caso; ve ne sono al Museo Correr di Venezia (Washington etc., 1963-1964, nn. 114-116), all'Albertina di Vienna (Stix e Fröhlich-Bum, 1926, nn. 395-404), all'Ermitage di Leningrado (Venezia, 1964, nn. 113-114), all'Art Institute di Chicago (Washington-Fort Worth-St. Louis, 1974-1975, n. 115; Joachim-Folds McCullagh, 1979, n. 149, tav. 160) e in altre località. Nel lungo saggio dedicato al Novelli da Maria Voltolina nella «Rivista di Venezia» del 1932 (p. 101 sgg.) non ho trovato menzionata alcuna pala dedicata a S. Margherita. Il disegno va situato verso la metà del periodo veneziano dell'artista ed è dello stile tipicamente rococò precedente al viaggio a Roma del 1779, che orienterà il Novelli verso il gusto neoclassico.

107. LA VIRTÚ INCORONA LO STUDIO (1978 - T.70)

377 × 254. Penna e inchiostro bruno, acquerello grigio-bruno; incorniciato dall'artista con quattro linee in penna e inchiostro bruno. COLL.: J. Petit Horry; Gosselin; G.C. Baroni; H.M. Calmann; D. Daniels; acquistato nel 1978. BIBL.: Calmann, 1964, n. 16 (come la *Verità incorona il Genio* di Francesco Fontebasso). ESP.: Minneapolis-Chicago-Kansas City-Cambridge, 1968, n. 16 (come Francesco Fontebasso); Parigi, 1980, n. 18.

A. Mongan e M.L. Bennett hanno segnalato, nel catalogo della mostra del 1968, che gli attributi delle due figure corrispondono perfettamente alla descrizione della Virtú e dello Studio nell'*Iconologia* di Cesare Ripa, pubblicata a Venezia nel 1669 (pp. 671 e 309), che costituí una delle fonti iconografiche preferite dagli artisti veneziani del XVIII secolo. Il disegno ricorda da vicino — per stile e tipi fisionomici — l'*Allegoria della Pittura*, firmata e datata 1770, della Villa Pisani di Stra (Voltolina, 1932, p. 103, fig. 4).

Giovanni Battista Piranesi
1720 - 1778

108. CAMERA SEPOLCRALE DEI LIBERTI DI LIVIA (9310)

361 × 480. Penna e inchiostro bruno, acquerello grigio. Sul verso, a sinistra, lungo il margine inferiore, scritta a carboncino della quale si legge solo la prima parola *columbarium*; a destra, in alto, N° 3, a matita. COLL.: H.S. Reitlinger (L. 2774 a); H.M. Calmann; J. Hewett; S. Gahlin; F. Lugt (L. 1028); acquistato nel 1969. ESP.: Parigi, 1980, n. 21.

Il disegno fu acquistato come opera del Pannini, ma l'attribuzione non è convincente. Il McCormick (lettere dell'1.4, 7 e 27.6.1975) ha scoperto che esso corrisponde a una delle illustrazioni di un libro di Francesco Bianchini, pubblicato nel 1727: *Camera ed Iscrizioni sepulcrali de' Liberti, Servi, ed Ufficiali della Casa di Augusto*. L'acquaforte, che è nella stessa direzione del disegno, è di Girolamo Rossi II, da Antonio Buonamici (Londra, 1978-II, n. 129; Wilton-Ely, 1978, pp. 46-47, fig. 68; Lyttleton, 1974, tav. 49) e se ne potrebbe arguire che questo nostro foglio, che è di ottima qualità, è proprio l'originale del Buonamici, dal quale il Rossi ha tratto la sua stampa. Il disegno, però, non sembra preparatorio per un'incisione; la tecnica non è abbastanza meticolosa e sarebbe impensabile che un incisore potesse, lavorando con questo foglio davanti, commettere gli errori e apportare le modifiche che riscontriamo nella stampa. L'autore del disegno definisce assai meglio l'architettura dei tre nicchioni al centro della composizione, non sbaglia la prospettiva della scala, indica esattamente le ombre proiettate dalla figura che sta in cima alla scala e dalla scala stessa (compresi i pioli), sceglie il tipo di muratura piú appropriato alle zone in alto dove la costruzione va sgretolandosi, descrive con maggior chiarezza il deterioramento delle nicchie e i frammenti marmorei all'estrema destra, riesce infine a rendere ben piú convincente l'atteggiamento della figura maschile che sta scavando in primo piano. Per concludere, chi ha disegnato questo foglio era un artista ben piú capace, che guardava con occhi da architetto, ed ha saputo correggere i difetti della stampa. Il Bianchini afferma che questo colombario venne scoperto nel 1726 sulla Via Appia, nei pressi di S. Sebastiano; esso andò rapidamente in rovina e venne distrutto poco tempo dopo (Londra, 1978-II, n. 129). In una delle primissime pubblicazioni di soggetto archeologico di Piranesi, le *Camere Sepolcrali degli Antichi Romani le quale esistino dentro e fuori di Roma* (c. 1750), troviamo inserite, oltre alle sei incise dallo stesso Piranesi, anche cinque delle tavole del libro del Bianchini del 1727, e tra queste anche la veduta del colombario dei liberti di Livia (Londra, 1978-II, p. 49; Venezia, 1978, pp. XII, 33-44) a quel tempo ormai già demolito. Non sappiamo come e quando Piranesi sia entrato in possesso di quelle lastre, ma non vi è dubbio che esse avevano suscitato il suo interesse, tanto piú che le utilizzò una seconda volta quando incluse tutte le tavole delle *Camere Sepolcrali* in un'opera ben piú impegnativa: *Le Antichità Romane* del 1756 (Venezia, 1978, pp. 33-39, tavv. 132-205). Quella che ci interessa è il n. XXVI del terzo volume (Wilton-Ely, 1978, p. 47, fig. 68; Focillon, 1918, n. 308). Penso che si possa quindi ragionevolmente supporre che il giovane Piranesi — aveva solo vent'anni quando giunse la prima volta a Roma e venticinque quando vi si stabilí definitivamente — abbia tratto questo disegno dal libro del Bianchini (poiché il sepolcro non esisteva piú) e abbia corretto gli evidenti difetti, artistici e architettonici, della stampa per poter inserire nel suo libro un monumento tanto importante. Nel frattempo, però, egli ottenne di servirsi delle lastre del Bianchini, evitando cosí di doverle incidere lui stesso. Mi sembra infatti che la descrizione dei singoli particolari, specialmente nei punti dove il disegno è diverso o migliore della stampa — la muratura in alto con la vegetazione ricadente, le figure, la luce — non sia in contrasto con lo stile delle primissime acqueforti di Piranesi, e l'aver migliorato la prospettiva è proprio quanto ci saremmo aspettati da lui. Nel disegno si possono scoprire alcune analogie persino con le fantasie architettoniche della *Prima Parte...*, del 1743 (Venezia, 1978, pp. 16-24) e con i disegni preparatori per quella serie, analizzati di recente da A. Robison (1977, p. 387 sgg.; 1978, nn. 40-41, p. 26); ma esso ricorda ben piú da vicino le tavole incise dall'artista per le *Camere Sepolcrali*, inserite poi nel secondo e terzo volume delle *Antichità Romane*, come le cinque del Bianchini. Mi riferisco in particolare alle vedute della *Camera Sepolcrale di L. Arrunzio* (vol. II, tav. X) e del *Sepolcro dei liberti di Augusto* (vol. II, tav. XLII). Se ne vedano le riproduzioni nello splendido catalogo edito da Neri Pozza per la mostra della Fondazione Giorgio Cini del 1978 (figg. 167 e 177) e il saggio sulle *Antichità Romane* di Augusta Monferini nello stesso volume (pp. 33-39). Prima di proporre questa mia attribuzione ho consultato alcuni dei piú noti esperti di Piranesi e ho avuto la fortuna di farlo durante l'anno del bicentenario della morte, celebrato con tante importanti mostre e la pubblicazione di molti studi in onore dell'artista. John Wilton-Ely è propenso ad accogliere la mia attribuzione e mi ha indicato (in una lettera del 15.12.1978) vari punti che possono contribuire a confermarla, mentre Andrew Robinson, che mi ha segnalato (in una lettera del 23.12.1978) vari elementi che provano la superiorità del disegno Lugt sulla stampa, preferisce invece considerarlo l'originale del Buonamici. Anche John Harris crede che il disegno sia di Piranesi: derivato dalla stampa, ma di qualità ben superiore. Dello stesso avviso è anche Alessandro Bettagno.

Giuseppe Bernardino Bison

1762 - 1844

109. CONIGLI (4151)

144 × 213. Penna e inchiostro bruno; acquerello bruno. COLL.: L. Grassi (v. L. 1171 b); F. Lugt (L. 1028); acquistato nel 1929. BIBL.: Byam Shaw, 1976-II, pp. 394-395, fig. 15. ESP.: Parigi, 1980, n. 4.

Attribuito in passato a Domenico Tiepolo, ma certamente non suo. L'attribuzione al Bison fu suggerita per la prima volta da Hylton Thomas e penso sia esatta.

QUATTRO FREGI

110. DUE PUTTI SU CARRI MARINI, VOLTI A DESTRA (1976 - T.12)

84 × 329. Penna e inchiostro bruno, leggeri tocchi di acquerello verde, rosa e bruno su carboncino; incorniciato da una doppia linea a

penna e inchiostro bruno. COLL.: Galerie Boerner; J. Petit Horry; acquistato nel 1976. ESP.: Parigi, 1980, n. 5.

111. DUE PUTTI SU CARRI MARINI, VOLTI A SINISTRA (1976 - T.13)

83 × 330. Penna e inchiostro bruno, leggeri tocchi di acquerello verde, rosa, bruno e azzurro su carboncino; incorniciato da una doppia linea a penna e inchiostro bruno. COLL.: v. sopra. ESP.: Parigi, 1980, n. 6.

112. TRITONE CON UNA CONCHIGLIA TRA DIVINITÀ MARINE (1976 - T.14)

84 × 332. Penna e inchiostro bruno, leggeri tocchi di acquerello verde, bruno, rosa e azzurro su carboncino; incorniciato da una doppia linea a penna e inchiostro bruno. COLL.: v. n. 110. ESP.: Parigi, 1980, n. 7.

113. NAIADE CON UN RAMO DI CORALLO TRA DIVINITÀ MARINE (1976 - T.15)

83 × 333. Penna e inchiostro bruno, leggeri tocchi di acquerello verde, bruno rosa, azzurro e rosso su carboncino. Incorniciato da una doppia linea a penna e inchiostro bruno. COLL.: v. n. 110. ESP.: Parigi, 1980, n. 8.

L'attribuzione al Bison di questi incantevoli fregi, così delicatamente disegnati, si deve a Carlos van Hasselt ed è sicuramente corretta.

114. DUE PROGETTI PER UNA CORNICE (1976 - T.19)

213 × 314. Penna e inchiostro bruno, aquerello verde, bruno, giallo e azzurro. COLL.: E. Fatio; H.M. Calmann; A. Stein; acquistato nel 1976. ESP.: Londra, 1975, n. 108 (come Mauro Tesi); Parigi, 1980, n. 9.

Di fattura meno delicata dei nn. 110-113, ma dello stesso stile e assolutamente tipici del Bison. Studi architettonici e ornamentali simili a questo sono conservati nella collezione Sartorio dei Civici Musei di Storia e Arte di Trieste (Trieste, 1972, nn. 93-101), nell'University of Michigan Museum of Art di Ann Arbor (cat. 1965, nn. 101-106) e nel Cooper-Hewitt Museum di New York (Wunder, 1962, n. 23; Rizzi, 1976, nn. 23-24).

Francesco Guardi

115. S. GIORGIO MAGGIORE, VISTO DALLA GIUDECCA (2389)

480 × 665. Olio su tela; cornice veneziana contemporanea. COLL.: M. Trilling; C. de Burlet; F. Lugt; acquistato nel 1925; J. Klever; Mrs M. Klever-Schmidt; riacquistato da F. Lugt nel 1945. BIBL.: Goering, 1944, n. 104; Mongan-Sachs, 1946, I, p. 162, n. 318; Hennus, 1950, p. 125; Morassi, 1973, I, pp. 242, 393, n. 437, II, fig. 461: la didascalia va scambiata con quella di fig. 460) ESP.: Amsterdam, 1953, n. 48; Bruxelles, 1953-54, n. 44; Parigi, 1971, n. 91; 1980, n. 50 (non in catalogo).

Anche in questa veduta, come in molti altri dipinti del Guardi (cfr. quelli della Galleria Sabauda di Torino, Morassi, 1973, I, n. 436, II, fig. 460, e della collezione Bührle di Zurigo, Morassi, 1973, I, n. 288, II, figg. 319-320), la Chiesa di S. Giorgio è priva del campanile. La cuspide conica originale (simile a quella odierna) venne modificata tra il 1726 e il 1728 e assunse la forma a bulbo (come ai SS. Apostoli) tipicamente barocca; ma l'intera torre campanaria crollò nel 1774 e la ricostruzione, su progetto di Fra Benedetto Buratti bolognese, fu portata a termine solo nel 1791, circa due anni prima della morte dell'artista. Nell'intervallo il nuovo campanile doveva senza dubbio essere visibile attraverso le impalcature, ma il Guardi non lo dipinse mai cosí; preferí mostrarlo com'era prima del crollo, oppure ometterlo del tutto, come in questo caso. La stessa identica veduta di S. Giorgio (ancora senza il campanile) è disegnata in un foglio del Fogg Art Museum di Cambridge, Massachusetts (Mongan-Sachs, 1946, I, n. 318, II, fig. 157; Morassi, 1975, n. 351- fig. 352) e il profilo della città in lontananza ricorda un disegno della National Gallery of Canada di Ottawa (Byam Shaw, 1951, n. 25; Morassi, 1975, n. 343). Il dipinto va probabilmente datato intorno al 1780.

Collezione Frits Lugt - Lettere autografe

116. da Pietro Aretino a Cosimo de Medici, in data 17.X.1545 (inv. 1971-A.164)

117. da Bernardo Bellotto, in data 30.X.1776 (inv. 7559)

118. da Antonio Canova a Fontaine, in data 7.IX.1780 (9157)

119. da Antonio Canova ad anonimo, in data 7.IX.1798 (1970-A.212)

120. da Antonio Canova a Fontaine, in data 27.X.1781 (1971-A.175)

121. da Antonio Canova a Tiberio Conte Roberta (?), in data 15.II.1817 (1976-A.365)

122. da Antonio Canova ad Antonio de Martini, Bassano, in data 1.V.1819 (1981-A.10)

123. da Lorenzo Lotto ai Signori Anziani della Città di Cingoli, in data 14.X.1539 (7557)

124. da Jacopo Palma il Giovane al duca di Urbino, in data 26.XI.1594 (7182)

125. da Francesco Piranesi al Remondini, in data 18.II.1792 (5552)

126. da Sebastiano Ricci ad Antonio Maria Bettati, in data 14.V.1725 (inv. 6835)

127. da Sebastiano Ricci a principe ignoto, in data 5.VII.1720 (1978-A.65)

128. da Sebastiano Ricci a principe incognito, in data 14.IX.1720 (1978-A.66)

129. da Giambattista Tiepolo a Bartolo Semenzi, in data 12.XII.1761 (3491)

130. da Giandomenico Tiepolo ad amico, in data 6.X.1755 (6836)

131. da Jacopo Tintoretto a Gerola da Mula, in data 11.IV.1573 (1971-A.163)

132. da Tiziano a Carlo V, in data 1.XII.1545 (5558)

133. da Tiziano a Tito Vecellio, in data 7.I.1560 (7556)

134. da Tiziano a Madonna Bianca Polani, in data 5.XII.1553

135. da Paolo Veronese a Marco Antonio Gandini, in data 28.III.1578 (5559)

Bibliografia

ALPAGO-NOVELLO L., *Gli incisori bellunesi*, in «Atti del R. Istituto di Scienze, Lettere ed Arti», XCIX, n. 11.

AMES-LEWIS F., *Drawing in early Renaissance Italy*, New Haven 1981 (in corso di stampa).

ANDREWS K., *National Gallery of Stotland, Catalogue of Italian Drawings*, Cambridge 1968.

ARSLAN E., *I Bassano*, Milano 1960.

ASHBY T. - CONSTABLE W.G., *Canaletto and Bellotto in Rome, I*, in «The Burlington Magazine», XLVI (1925).

BACOU R., *Dessins italiens dans les collections hollandaises*, in «L'Oeil», n. 85 (1962), pp. 56-61.

BALLARIN A., *L'orto del Bassano*, in «Arte Veneta», XVIII (1964), pp. 55-72.

BALLARIN A., *Introduzione a un catalogo dei disegni di Jacopo Bassano II*, in *Studi di Storia dell'Arte in onore di Antonio Morassi*, Venezia, 1971-I, pp. 138-151.

BALLARIN A., *Considerazioni su una mostra di disegni veronesi del Cinquecento*, in «Arte Veneta», XXV (1971)-II.

BALLARIN A., *Il Miracolo del Neonato: Tiziano dal disegno all'affresco*, in *Per Maria Cionini Visani. Scritti di amici*, Torino, 1977, pp. 67-71.

BALLARIN A., *Tiziano prima del Fondaco dei Tedeschi*, in *Tiziano e Venezia, Convegno Internazionale di Studi. Venezia 1976*, Vicenza 1980, pp. 439-499.

BARBARIANI E., *Pietro Rotari*, Verona 1941.

BARTSCH A., *Le Peintre-graveur*, Wien 1800-1821.

BATTISTI E., *Antonio Balestra*, in «Commentari», V, 1954, pp. 26-39.

BEAN J., *Inventaire général des dessins des Musées de Province. 4. Bayonne. Musée Bonnat. Les dessins italiens de la collection Bonnat*, Paris 1960.

99

BERENSON B., *Italian Pictures of the Renaissance, Venetian School*, London 1957.

BERENSON B., *Italian Pictures of the Renaissance, Central Italian and North Italian Schools*, London 1968.

BERTI TOESCA E., *Un romanzo illustrato del '400*, in «L'Arte», 42 (1939), pp. 135-143.

BINION A., *From Schulenburg's Gallery and Records*, in «The Burlington Magazine», CXII, n. 806 (1970), pp. 297.

BINION A., *Antonio and Francesco Guardi: Their Life and Milieu, with a Catalogue of their Figure Drawings* (tesi, Columbia University 1971), New York-London 1976.

BJURSTRÖM P., *Drawings in Swedish Public Collections..., 3. Italian Drawings. Venice, Brescia, Parma, Milan, Genoa*, Stockholm 1979.

BLANC C., *Le trésor de la curiosité, tirè des catalogues de vente*, Paris 1857-1858.

BLOCH V., *Le dessin italien dans les collections hollandaises* (rec.), in «Pantheon», XX, 3 (1962), pp. 198-199.

BLUNT A. - CROFT-MURRAY E., *Venetian Drawings of the XVII and XVIII Centuries in the Collection of Her Majesty the Queen at Windsor Castle*, London 1957.

BORGHINI R., *Il Riposo...*, Firenze 1584.

BRENZONI R., *Pisanello, pittore*, Firenze 1952.

BRIGSTOCKE H., *Italian and Spanish Paintings in the National Gallery of Scotland*, Edinburgh 1978.

BYAM SHAW J., *Liberale da Verona*, in «Old Master Drawings», VI, n. 22 (1931), pp. 62-64.

BYAM SHAW J., *A lost Portrait of Mantegna, and a Group of Paduan Drawings* in «Old Master Drawings» IX, n. 33 (1934), pp. 1-7.

BYAM SHAW J., *Giovanni Domenico Tiepolo*, in «Old Master Drawings» XII, n. 48 (1938), pp. 56-57.

BYAM SHAW J., *The Drawings of Francesco Guardi*, London 1951.

BYAM SHAW J., *The Remaining Frescoes in the Villa Tiepolo at Zianigo*, in «The Burlington Magazine», CI, n. 680 (1959), pp. 391-395.

BYAM SHAW J., *The Drawings of Domenico Tiepolo*, London 1962.

BYAM SHAW J., *Notes on some Venetian Drawings*, in «Apollo», LXXXVI, n. 65 (1967), pp. 44.

BYAM SHAW J., *Tiepolo Celebrations: Three Catalogues* (rec.), in «Master Drawings», IX, n. 3 (1971), pp. 264-276.

BYAM SHAW J., *Old Master Drawings from Chatsworth. A Loan Exbition from the Devonshire Collection*, London 1973.

BYAM SHAW J., *Drawings by Old Master at Christ Church Oxford*, Oxford 1976-I.

BYAM SHAW J., *Master Draughtsmen of the Venetian Settecento*, in «Apollo», CIV, n. 177 (1976)-II, pp. 388-395.

BYAM SHAW J., *Biblioteca di Disegni, Maestri Veneti del Quattrocento*, vol. III e IV, Firenze 1978-I.

BYAM SHAW J., *A Pocket Sketchbook by Palma Giovane*, in «Arte Veneta» XXXII (1978)-II, pp. 275-280.

BYAM SHAW J., *Titian's Drawings: A Summing up*, in «Apollo», CXII, n. 226 (December 1980), pp. 386-391.

CALMANN H.M., *Dealer in Old Master Drawings*, London 1964.

CARLI E., *Miniatures de Liberale da Verona, d'aprés les Antiphonaires pour le Dôme de Sienne*, Milano 1960.

CARUTI B. - CHIOCCO A., *Musaeum Calceolarianum Veronese*, Verona 1622.

CAVALCASELLE - CROWE - V. CROWE CAVALCASELLE.

DE CHENNEVIÈRES P. - DE MONTAIGLON A., *Abecedario de P.J. Mariette*, Paris 1857-1858.

COLVIN S., *Über einige Zeichnungen des Carpaccio in England*, in «Jahrbuch der Königlich preussischen Kunstsammlungen» XVIII (1897), pp. 193-204.

CONSTABLE W.G., *Canaletto, Giovanni Antonio Canal*, Oxford 1962.

CONSTABLE W.G. - LINKS J.G., *Canaletto, Giovanni Antonio Canal*, Oxford 1976.

CROSATO L., *Gli affreschi nelle Ville venete del Cinquecento*, Treviso 1962.

CROWE J.A. - CAVALCASELLE G.B., *Tiziano. La sua vita e i suoi tempi*. Firenze 1877-1878.

DAL FORNO F., *Paolo Farinati*, Verona 1965.

DANIELS J., *Sebastiano Ricci*, Hove 1976.

DAVIES M., *National Gallery Catalogues. The Earlier Italian Schools* (2nd revised ed.) London 1961 (*Plates, Earlier Italian Schools*, 1953).

DEGENHART B., *Stefano di Giovanni da Verona*, in THIEME - BECKER, *Allegemeines Lexikon der bildenden Kunstler*, Leipzig 1937-I ad vocem.

DEGENHART B., *Zur Graphologie der Handzeichnung*, in «Kunstgeschichtliches Jahrbuch der Biblioteca Hertziana», (1937)-II, pp. 223-343.

DEGENHART B., *Unbekannte Zeichnungen Francescos di Giorgio (II)*, in «Zeitschrift für Kunstgeschichte», VIII (1939), pp. 117-150.

DEGENHART B., *Antonio Pisanello*, Vienna 1942.

DEGENHART B., *Europäische Handzeichnugen aus fünf Jahrhunderten*, Zürich 1943.

DEGENHART B., *Pisanello*, Torino 1945.

DEGENHART B., *Di una pubblicazione su Pisanello e di altri fatti (I)*, in «Arte Veneta» VII (1953), pp. 182-185.

DEGENHART B., *Di una pubblicazione su Pisanello e di altri fatti (II)*, in «Arte Veneta» VIII (1954), pp. 96-118.

DEGENHART B. - SCHMITT A., *Gentile da Fabriano in Rom und die Anfänge des Antikenstudiums*, XI (1960).

DEGENHART B. - SCHMITT A., *Corpus der Italienischen Zeichnungen 1300-1450. Teil I. Sud- und Mittelitalien*, Berlin 1968.

DEL BRAVO C., *Liberale da Verona*, Firenze 1967.

DERSCHAU J. (von), *Sebastiano Ricci. Ein Beitrag zu den Anfängen der venezianischen Rokokomalerei*, Heidelberg 1922.

DE VESME A. - MASSAR Ph. D., *Stefano della Bella*, New York 1971.

DOBROKLONSKY M., *Liberale da Verona*, in «Old Master Drawings» IV, n. 13 (1929).

DOBROKLONSKY M., *Quelques feuilles inédites de Fontebasso aux Musées de Leningrad*, in «Arte Veneta» XII (1938).

DONZELLI C., *I pittori veneti del Settecento*, Firenze 1957.

DONZELLI C. - PILO G.M., *I pittori del Seicento veneto*. Firenze 1967.

DUSSLER L., *Two unpublished Drawings by Giacomo Tintoretto* in «The Burlington Magazine», LI, n. 292 (1927), pp. 32-33.

EIGENBERGER R., *Die Gemldegalerie der Akademie der bildenden Kunste in Wien*, Wien-Leipzig 1927.

FENYÖ I., *Dessins italiens inconnus du XVe au XVIIIe siècle*, in «Bulletin du Musée hongrois des Beaux-Arts», 22 (1963), pp. 89-123.

FENYÖ I., *Norditalienische Handzeichnungen aus dem Museum der Bildenden Künste in Budapest*, Budapest 1965-I.

FENYÖ I., *An unknown Drawing by Antonio Guardi*, in «The Burlington Magazine», CVII, n. 746 (1965)-II, p. 256.

FIOCCO G., *Carpaccio*, Roma 1930.

FIOCCO G., *Carpaccio*, Paris 1931.

FIOCCO G., *Carpaccio*, Milano 1942.

FIOCCO G., *Disegni di Stefano da Verona*, in «Proporzioni», III, (1950), pp. 56-64.

FIOCCO G., *Carpaccio*, Novara 1958.

FLEISCHMANN B., *Vivarini, Alvise (Luigi)*, in «Thieme-Becker, Allgemeines Lexikon der bildenden Künstler», Vol. XXXIV, Leipzig 1940, ad vocem.

FOCILLON H., *G.B. Piranesi, essai de catalogue raisonnè de son oeuvre*, Paris 1918.

FÖRSTER R., *Die Verleumdung des Apelles in der Renaissance*, in «Jahrbuch der königlich preussischen Kunstsammlungen», XV (1894).

FÖRSTER R., *Wiederherstellung antiker Gemälde durch Künstler der Renaissance*, in «Jahrbuch der preussischen Kunstsammlungen», XLIII (1922).

FOSSI TODOROW M., *I disegni del Pisanello e della sua cerchia*, Firenze 1966.

FRERICHS L.C.J., *Keuze van tekeningen bewaard in het Rijksprentenkabinet, Rijksmuseum, Amsterdam*, Amsterdam 1963.

FRERICHS L.C.J., *Mariette et les eaux-fortes des Tiepolo*, in «Gazette des Beaux-Arts», LXXVIII, p. 233 (1971)-I.

FRERICHS L.C.J., *Nouvelles sources pour la connaissance de l'activitè de graveur des trois Tiepolo*, in «Nouvelles de l'Estampe», IV (1971)-II.

GAMULIN G., *Per i Cariani*, in «Arte Veneta», XXVI (1972), pp. 193-195.

GEISBERG M., *Die Anfänge des Kupferstichs*, Leipzig 1923.

GERNSHEIM W., Corpus Photographicum Gernsheim Montoriolo, Firenze.

GIBBONS F., *Catalogue of Italian Drawings in the Art Museum, Princeton University*, Princeton 1977.

GODEFROY L., *Notes sur une estampe de Nicolas Boldini*, in «L'Amateur d'estampes», IV (March 1925), pp. 48-50.

GODSCHEIDER L., (ed.), *Unknow Renaissance Portraits, Medals of famous Men and Women of the XV & XVI Centuries*, London 1952.

GOLUBEW V., *Die Skizzenbücher Jacopo Bellinis*, Bruxelles 1908.

GONZALEZ-PALACIOS A., *Un'esercitazione su Alvise Vivarini*, in «Paragone», XX, n. 229 (1969), p. 38.

GONZATI B., *La basilica di Sant'Antonio di Padova*, Padova 1854.

GRAVES R., *The Greek Myths* (Harmondsworth, Middlesex) 1975.

GROSSATO L., *Il Museo Civico di Padova, Dipinti e sculture dal XIV al XIX secolo*, Venezia 1957.

HAVERKAMP BEGEMANN E., *Vijf eeuwen tekenkunst, Tekeningen van europese meesters in het Museum Boymans te Rotterdam*, Rotterdam 1957.

HAVERKAMP BEGEMANN E., *Flemish Drawings of the Seventeenth Century from the Collection of Frits Lugt*, (rec.) in «Master Drawings», XI, n. 1 (1973), pp. 49-52.

HEINEMANN F., *Giovanni Bellini e i Belliniani*, Venezia 1962.

HELD J., *Rubens, Selected Drawings*, London 1959

HELD J.S., *Rubens in Italy: a Critical View* (rec.), in «Apollo», CVIII, n. 198 (1978), pp. 134-137.

HENNUS M.F., *Frits Lugt. Kunstvorser-Kunstkeurder-Kunstgaarder*, in «Maandblad voor Beeldende Kunsten», XXVI (1950), pp. 75-140.

104

HERBERT J. (ed.) *Christie's Review of the Year 1970-1971*, London 1971.

[HESELTINE J.P.], *Original Drawings by Old Masters of the Schools of North Italy*, London 1906.

HILL G.F., *Dessins de Pisanello*, Paris-Bruxelles 1929.

HILL G.F., *A Corpus of Italian Medals of the Renaissance before Cellini*, London 1930.

HILL G.F. - POLLARD G., *Renaissance Medals from the Samuel H. Kress Collection at the National Gallery of Art*, London 1967.

HIND A.M., *Early Italian Engraving. A Critical Catalogue with complete Reproduction of all the Prints described*, New York-London, 1938-1948.

HOETINK H.R., *Italian Drawings from Dutch Collections* (rec.) in «Apollo», CIV, n. 177 (1976), pp. 372-381.

IVANOFF N., *I disegni italiani del Seicento. Scuole Veneta, Lombarda, Ligure, Napoletana*, Venezia 1959.

IVANOFF N. - ZAMPETTI P., *Giacomo Negretti detto Palma il Giovane*, in *I pittori Bergamaschi dal XIII al XIX secolo. Il Cinquecento*, III, Bergamo, 1979, pp. 401-739.

JAFFÈ M., *Giuseppe Porta, il Salviati and Peter Paul Rubens*, in «The Art Quarterly», XVIII, n. 4 (1955), pp. 330-340.

JAFFÈ M., *Italian Drawings from Dutch Collections* (rec.) in «The Burlington Magazine», CIV, n. 711 (1962).

JAFFÈ M., *Rubens as a Collector* in «Master Drawings», III, n. 1 (1965).

JAFFÈ M., *Rubens and Italy*, Oxford 1977.

JOACHIM H. - FOLDS McCULLAGH S., *Italian Drawings in the Institute of Chicago*, Chicago-London 1979.

KAUFFMANN C.M., *Victoria and Albert Museum. Catalogue of foreign paintings*, London 1973.

KIEL H., *Oberitalienische Porträts der Sammlung Trivulzio*, in «Pantheon», VI, (1930), pp. 441-448.

KNAPP F., *Andrea Mantegna, des Meisters Gemälde und Kupferstiche in 200 Abbildungen*, Stuttgart-Leipzig 1910.

105

KNOX G., *Catalogue of the Tiepolo Drawings in the Victoria and Albert Museum*, London 1960.

KNOX G., *The Orloff Album of Tiepolo Drawings*, in «The Burlington Magazine», CIII, n. 699 (1961), pp. 269-275.

KNOX G., *Tiepolo Drawings from the Saint-Saphorin Collection* in «Atti del Congresso internazionale di studi sul Tiepolo, con un'appendice sulla mostra», Venezia 1970.

KNOX G., *Un quaderno di vedute di Giambattista e Domenico Tiepolo*, Venezia 1974.

KNOX G., *Catalogue of the Tiepolo Drawings in the Victoria and Albert Museum*, London 1975.

KNOX G., *The Camerino of Francesco Corner*, in «Arte Veneta», XXXII (1978), pp. 79-84.

KNOX G., *Giambattista and Domenico Tiepolo: a study and Catalogue Raisonné of the Chalk Drawings*, Oxford 1980.

KOSCHATZKY W. - OBERHUBER K. - KNAB E., *I grandi disegni italiani dell'Albertina di Vienna*, Milano 1972.

KOZAKIEWICZ S., *Bernardo Bellotto*, London 1972.

KRISTELLER P., *Giulio Campagnola, Kupferstiche und Zeichnungen*, Berlin 1907.

KULTZEN R., *Bayerische Staatsgemäldesammlungen, Alte Pinakothek. Venezianische Gemälde des 15. und 16. Jahrhunderts*, München 1971.

KURZ O., *A Sculpture by Guido Reni*, in «The Burlington Magazine», n. 474 (1942).

LUGT F., *Les marques de collections de dessins et d'estampes*, Amsterdam 1921; *Supplément*, The Hague 1956.

LAUTS J., *Carpaccio, Paintings and Drawings*, London 1962.

LE BLANC Ch., *Manuel de l'amateur d'estampes*, Paris 1854-1888.

LEVENSON J.A. - OBERHUBER K. - SHEEHAN J.L., *Early Italian Engravings from the National Gallery of Art*, Washington 1973.

LEVEY M., *Two footnotes to any Tiepolo Monograph*, in «The Burlington Magazine» CIV (1962), pp. 118-119.

LEVEY M., *The Later Italian Pictures in the Collection of Her Majesty The Queen*, London 1964.

LINKS J.G., *View of Venice by Canaletto, engraved by Antonio Visentini*, New York, 1971.

LOCKER-LAMPSON F., *The Locker Library. A Catalogue of the Printed Books, Manuscripts, Autograph Letters, Drawings and Pictures collected by Frederick Locker-Lampson*, London 1886.

LOGAN A.M., *Rubens Exhibitions, 1977-1978* (rec.) in «Master Drawings» n. 4 (1978), p. 419.

LORENZETTI G., *Venezia e il suo estuario*, Roma 1926.

LORENZETTI G., *Venezia e il suo estuario*, Trieste 1979 (anast.).

LYTTLETON M., *Baroque Architecture in Classical Antiquity*, London 1974.

MAGAGNATO L., *Arte e civiltà del Medioevo Veronese*, Torino 1962.

MAISON K.E., *The Tiepolo Drawings after the Portrait Bust of Palma Giovane by Alessandro Vittoria*, in «Master Drawings», VI, n. 4 (1968), pp. 392-394.

MALVASIA C.C., *Felsina Pittrice, Vite dei pittori bolognesi*, Bologna 1978.

MARIACHER G., *Il Museo Correr di Venezia, Dipinti dal XIV al XVI secolo*, Venezia 1957.

MARIUZ A., *Giandomenico Tiepolo*, Venezia 1971.

MARTINDALE A., GARAVAGLIA N., *The Complete Paintings of Mantegna*, London 1971.

MARTINI E., *La pittura veneziana del Settecento*, Venezia 1964.

MASON RINALDI S., *Il libro dei disegni di Palma il Giovane del British Museum*, in «Arte Veneta» XXVII (1973), pp. 125-143.

MAURONER F., *Le incisioni di Tiziano*, Padova 1943.

MAURONER F., *Luca Carlevarijs*, Padova 1945.

MAZZOTTI G., *Ville Venete*, Roma 1966.

MCTAVISH D., *Giuseppe Porta called Giuseppe Salviati*, New York 1980 (in corso di stampa).

McTAVISH D., *The Drawings of Giuseppe Salviati*, in «Master Drawings» 1981 (in corso di stampa).

MEJER B.W., *Early Drawings by Titian: Some attributions*, in «Arte Veneta», XXVIII (1974), pp. 75-92.

MEIJER B.W., *Omaggio a Tiziano. Mostra di disegni, lettere e stampe di Tiziano e artisti nordici*, Firenze 1976.

MELLINI L., *Disegni di Altichiero e della sua cerchia*, in «Critica d'arte», n. 61 (1962).

MENEGAZZI L., *Tommaso da Modena*, Treviso 1979.

MOLMENTI P., *G.B. Tiepolo, la sua vita e le sue opere*, Milano 1909.

MONGAN A. - SACHS P.J., *Drawings in the Fogg Museum of Art*, Cambridge, Mass. 1946.

MORASSI A., *Un libro di disegni e due quadri di Sebastiano Ricci*, in «Cronache d'arte», 1926.

MORASSI A., *I pittori alla Corte di Bernardo Clesio a Trento*, II, *Gerolamo Romanino*, in «Bollettino d'arte» IX, n. 7 (1930, pp. 311-334.

MORASSI A., *G.B. Tiepolo, his Life and Work*, London 1955.

MORASSI A., *Titien. Les fresques de la Scuola del Santo a Padova*, Milano-Paris 1956.

MORASSI A., *Dessins vénitien du dix-huitiéme siécle de la collection du Duc de Talleyrand*, Milano 1958.

MORASSI A., *A complete catalogue of the Paintings of G.B. Tiepolo*, London 1962.

MORASSI A., *Antonio e Francesco Guardi*, Venezia 1973.

MORASSI A., *Tutti i disegni di Antonio, Francesco e Giacomo Guardi*, Venezia 1975.

MOSCARDO L., *Note overo Memorie del Museo del Conte Lodovico Moscardo, nobile Veronese...*, Verona 1672.

MOSCHINI MARCONI S., *Gallerie dell'Accademia di Venezia, Opere d'arte dei secoli XIV e XV*, Roma 1955.

MURARO M., *Carpaccio*, Firenze 1966.

MURARO M., *Tiepolo e Goya*, in «Atti del Congresso Internazionale di studi sul Tiepolo», Venezia 1970-I, pp. 68-80.

MURARO M., *Goya, Tiepolo et la peintuje vénetienne du XVIIIe siécle* in «La Revue du Louvre», nn. 4-5 (1970)-II, pp. 271-282.

MURARO M., *Palazzo Contarini a San Beneto*, Venezia 1970-III.

MURARO M., *I disegni di Vittore Carpaccio*, Firenze 1977.

MURARO M., *Grafica Tizianesca*, in *Tiziano e il Manierismo europeo*, Firenze 1978, pp. 127-149.

MURARO M. - ROSAND D., *Tiziano e la silografia veneziana del Cinquecento*, Vicenza 1976.

NATALE M., *Musée d'Art et d'Histoire de Genéve. Catalogue raisonné des peintures. Peintures Italiennes du XIVe au XVIIIe siécle*, Génève 1979.

NIERO A., *La Scuola Grande dei Carmini*, Venezia 1963.

OBERHUBER K., *Disegni di Tiziano e della sua cerchia*, Vicenza 1976.

OBERHUBER K., *Sulle silografie di Tiziano*, in *Tiziano e Venezia, Convegno Internazionale di Studi, Venezia 1976*, Vicenza 1980, pp. 523-528.

OETTINGER K., *Altdorfer-Studien*, Nürnberg 1959.

OLSEN H., *Italian Paintings and Sculpture in Denmark*, Kobenhavn.

PACCAGNINI G., *Pisanello*, London 1973.

PALLUCCHINI R., *L'Arte di Giovanni Battista Piazzetta*, Bologna 1934.

PALLUCCHINI R., *Studi Ricceschi, I; contributo a Sebastiano*, in «Arte Veneta» VI (1952), pp. 63-84.

PALLUCCHINI R., *I Vivarini (Antonio, Bartolomeo, Alvise)*, Venezia 1962.

PARKER K.T., *Alvise Vivarini*, in «Old Master Drawings», I, n. 1 (1926).

PARKER K.T., *North Italian Drawings of the Quattrocento*, London 1927.

PARKER K.T., *Catalogue of the Famous Collection of Old Master Drawings formed by the late Henry Oppenheimer, Esq., F.S.A.*, London, Christie's 10-14 July 1936-I (cat. di vendita).

PARKER K.T., *Carletto Caliari*, in «Old Master Drawings», XI, n. 42 (1936)-II, pp. 27-28.

109

PARKER K.T., *The Drawings of Antonio Canaletto in the Collection of His Majesty the King at Windsor Castle*, Oxford-London 1948.

PARKER K.T., *Catalogue of the Collection of Drawings in the Ashmolean Museum. Italian Drawings*, Oxford 1956.

PEROCCO G. - CANCOGNI M., *L'opera completa del Carpaccio*, Milano 1967.

DA PERSICO B., *Descrizione di Verona e della sua Provincia*, Verona 1820.

PIGLER A., *Barockthemen*, Budapest 1974.

PIGNATTI T., (rec.a) JAN LAUTS: *Carpaccio. Paintings and Drawings* in «Master Drawings» I, n. 4 (1963).

PIGNATTI T., *I disegni veneziani del Settecento*, Treviso 1966.

PIGNATTI T., *Disegni di Tiziano: tre mostre a Firenze e a Venezia* (rec.) in «Arte Veneta», XXX (1976)-I, pp. 266-270.

PIGNATTI T., *I grandi disegni italiani nelle collezioni di Oxford, Ashmolean Museum e Christ Church Picture Gallery*, Milano 1976-II.

PIGNATTI T., *Fondazione Giorgio Cini. Esposizioni: Disegni di Tiziano e della sua cerchia. Tiziano e la Silografia Veneziana del Cinquecento* (rec.), in «Pantheon» XXXV, n. 2 (1977), pp. 168-170.

PIGNATTI T., *Giorgione*, Milano 1978.

PIGNATTI T., *Tiziano, Disegni*, Firenze 1979.

POGNON E. - BRUAND Y., *Bibliothèque Nationale. Departement des Estampes. Inventaire du fonds français. Graveurs du XVIIIe siécle*, IX, Paris 1962.

POPHAM A.E., *Italian Drawings exhibited at the Royal Academy Burlington House* (1930), London 1931.

POPHAM A.E., *Catalogue of Drawings in the Collection formed by Sir Thomas Phillipps, Bart., F.R.S., now in the Possession of his Grandson T. Fitzroy Phillipps Fenwick of Thirlestaine House Cheltenham*, London 1935.

POPHAM A.E., *Sebastiano Resta and his Collections*, in «Old Master Drawings» XI, n. 41 (1936).

POPHAM A.E., *Catalogue of the Well-known Collection of Old Master Drawings, Principally of the Italian School formed in the 18th Century by John Skippe*, London, Christie, 1958 (cat. di vendita).

POPHAM A.E. - POUNCEY P., *Italian Drawings in the Department of Prints and Drawings in the British Museum, The Fourteenth and Fifteenth Centuries*, London 1950.

POPHAM A.E. - WILDE J., *The Italian Drawings of the XV and XVI Centuries in the Collection of His Majesty the King at Windsor Castle*; London 1949.

PRINZ W., *Vasaris Sammlung von Künstlerbildnissen*, in «Mitteilungen des Kunsthistorischen Institutes in Florenz», Beiheft, XII (1966).

PUPPI L. - ROSENBERG P., *Tout l'oeuvre peint de Canaletto*, Milano 1968, Paris 1975.

RAGGHIANTI C.L., *Stefano da Ferrara*, Firenze 1972.

RAGGHIANTI C.L., *Un altro disegno cavalleresco ferrarese*, in «Bollettino Annuale», Musei Ferraresi n. 5-6 (1975-76).

RAGGHIANTI COLLOBI L. - RAGGHIANTI C.L., *Disegni dell'Accademia Carrara di Bergamo*, Venezia 1962.

RÉAU L., *Iconographie de l'art Chrétien*, Paris 1955-1959.

REARICK W.R., *Tiziano e il disegno veneziano del suo tempo*, Firenze 1976.

RESTA S., *Catalogue of one of the Collections of Padre Sebastiano Resta*, 2 vol. Vol. I: *Father Resta's Remark on the Drawings*, Lansdowne Manuscript 802, British Library, London.

RICHARDSON F.L., *Andrea Schiavone*, Oxford 1980.

RICHTER G.M., *Giorgio del Castelfranco*, Chicago 1937.

RIDOFI C., *La Maraviglie dell'Arte... La Vite degli illustri pittori veneti...*, 2 vol. Venezia 1648 (ed. von Hadeln, Berlin 1914-1924; reprint, Rome 1965).

RIJKSVERSLAGEN = *Verslagen der Rijksverzamelingen van geschiedenis en kunst*, Vol. LXXXII (1960), The Hague.

RIZZI A., *Luca Carlevarijs*, Venezia 1967.

RIZZI A., *Dipinti di Andrea Celesti e Pietro Ricchi a Lubiana*, in «Arte Veneta», XXIV (1970), pp. 233-235.

RIZZI A., *The Etchings of the Tiepolos, Complete Edition*, London 1971.

RIZZI A., *Disegni del Bison*, Bologna 1976.

III

ROBISON A., *Preliminary Drawings for Piranesi's early Architectural fantasies*, in «Master Drawings», XV, n. 4 (1977), pp. 387.

ROBISON A., *Giovanni Battista Piranesi; The early Architectural Fantasie. A guide to the exhibition*, Washington 1978.

ROSAND D., *Palma il Giovane as Draughtsman: The Early Career and Related Observations* in «Master Drawings» VIII, n. 1 (1970), pp.

ROSAND D., *The crisis of the Venetian Renaissance Tradition*, in «L'Arte», nn. 11-12 (1970).

RUGGERI U., *Disegni di Francesco Maffei*, in «Arte Veneta» XXVI (1972) pp. 133-144.

RUGGERI U., *Disegni veneti del Settecento nella Biblioteca Ambrosiana*, Vicenza 1976.

RUHMER E., (rec.a) ROBERT OERTEL, *Frühe italienische Malerei in Altenburg*, in «Pantheon», XX, n. 3 (1962).

RUPPRICH H., *Dürers Schriftlicher Nachlass*, Berlin 1956-1969.

SACK E., *Giambattista und Domenico Tiepolo, Ihr Leben und ihre Werke*, Hamburg 1910.

SCHIAVO R., *Villa Cordellina Lombardi di Montecchio Maggiore*, Vicenza 1975.

SCHLLING E. - BLUNT A., *The German Drawings in the Collection of Her Majesty The Queen at Windsor Castle*, London-New York 1973.

SCHMITT A. - DEGENHART B., *Italienische Zeichnungen der Renaissance, aus den Sammlungen Biblioteca Ambrosiana, Mailand, Kupferstichkabinet der Staatlichen Museen, Berlin, Staatliche Graphische Sammlung München*, München 1965.

SCHMITT A., *Italienische Zeichnungen, 15 - 18. Jahrhundert (in der Staatliche Graphische Sammlung München)*. München 1067.

SCHMITT A., *Handzeichnungen vor 1800*, in Müncher Jahrbuch der Bildenden Kunst, XXV (1974), p. 239.

SCHWARZ H., *Palma il Giovane and his Family. Observation on some Portrait Drawings* in «Master Drawings», III, n. 2 (1965).

SCHWARZ H., *Portrait Drawings of Palma il Giovane and his Family: A Postscript* in *Studi di Storia dell'Arte in onore di Antonio Morassi*, Venezia 1971, pp. 210-215.

SEILERN A., *Italian Paintings & Drawings at 56 Princes Gate, London SW7, Addenda*, London 1969.

112

SEMENZATO C., *La scultura veneta del Seicento e del Settecento*, Venezia 1967.

SHAPLEY F.R., *Paintings from the Samuel H. Kress Collection, Italian Schools XV-XVI Century*, London 1968.

SHAPLEY F.R., *Catalogue of the Italian Paintings, National Gallery of Art, Washington*, Washington 1979.

SHERMAN J., *Andrea del Sarto*, Oxford 1965.

SINDONA E., *Pisanello*, Paris 1962.

SKIPPE J., *Disegni*, 2 voll. (inedito c. 1800-1812).

STIX A. - FRÖHLICH-BUM L., *Beschreibender Katalog der Handzeichnungen in der graphischen Sammlung Albertina. Band I, Die Zeichnungen der Venezianischen Schule*, Wien 1926.

STIX A. - SPITZMÜLLER A., *Beschreibender Katalog der Handzeichnungen in der staatlichen graphischen Sammlung Albertina. Band VI. Die Schulen von Ferrara, Bologna, Parma und Modena, der Lombardei, Genuas, Neapels und Siziliens, mit einem Nachtrag zu allen Italienischen Schulen*, Wien 1941.

SUIDA W., *Die Trivulzio-Sammlung im Castello Sforzesco in Mailand*, in «Pantheon», XVII(1936), p. 55.

SUIDA W., *Italian Miniature paintings, from the Rodolphe Kann Collection* in «Art in America» XXXV, n. 1 (january 1947) pp. 19-33.

SUTTON D., *L'amateur accompli: Frits Lugt*, in «Apollo», CIV, n. 176 (1976).

THIEME U. - BECKER F., *Allgemeines Lexikon der bildenden Künstler, von der Antike bis zur Gegenwart*, Leipzig 1907-1950.

THIENEMANN G.A.W., *Leben und Wirken des... Johann Elias Ridinger... mit Verzeichniss seiner Kupferstiche... und Handzeichnungen*, Leipzig 1856.

TIETZE H., *Tintoretto, The Paintings and Drawings*, London 1948.

TIETZE H. - TIETZE-CONRAT E. - BENESCH O. - GARZAROLLI-THURNALACKH K., *Beschreibender Katalog der Handzeichnungen in der graphischen Sammlung Albertina. Band IV und V. Die Zeichungen der Deutschen Schulen bis zum Beginn des Klassizismus*, Wien 1933.

TIETZE-CONRAT E., *Francesco di Giorgio* in «Old Master Drawings», XIII, n. 50 (1938).

TIETZE H. - TIETZE-CONRAT E., *Tizian-Studien*, in «Jahrbuch der Kunsthistorischen Sammlungen in Wien» X (1936) pp. 137-192.

TIETZE H. - TIETZE-CONRAT E., *The Drawings of the Venetian Painters in the 15th and 16th Centuries*, New York 1944.

TURNER N., *British Museum Prints and Drawings Series. Italian Baroque. Drawings*, London 1980.

VAN GELDER J.G. - GERSON H. - DE GORTER S., *Frits Lugt Zijn leven en zijn versamelingen 1949-1964*, Gravenhage 1964.

VAN GELDER J.G., *Jan de Bisschop*, in «Old Holland» LXXXVI (1971).

VAN HASSELT C., *Old Master Drawings in the Lugt Collection*, in «Apollo» LXXX, n. 33 (1964).

VAN MARLE R., *The Development of the Italian Schools of Painting*. 19 vol. Gravenhage 1923-36.

VAN MARLE R., *Iconographie de l'art profane. I. La vie quotidienne. II Allégories et Symboles*, 2 voll. Gravenhage 1931-1932.

VAN MARLE R., *The Development of the Italian Schools of Painting*. vol. VII, Gravenhage 1926.

VAN MARLE R., *The Development of the Italian Schools of Painting. The Renaissance Painters of Venice*, XVIII, Gravenhage 1936.

VASARI G., *La Vite de' piú eccellenti pittori, scultori ed architettori...* 1569 ed. Milanesi 1878-1885.

VENTURI A., *Storia dell'Arte Italiana*, Milano 1901-1940.

VENTURI A., *La Biblioteca di Sir Robert Witt*, in «L'Arte», XXX (1927), pp. 239-251.

VENTURI A., *Un disegno inedito del Pisanello*, in «Miscellanea per le nozze Brenzoni-Giacometti», Verona 1924, pp. 7-9, fig. 1.

VIGNI G., *Disegni del Tiepolo*, Padova 1942 ed. riv. Trieste 1972.

VIGNI G., *Tekeningen van Giambattista, Domenico en Lorenzo Tiepolo in Nederlandse verzamelingen*, in «Bullletin Museum Boymans-van- Beuningen» X, n. 2 (1959).

VIRCH C., *Master Drawings in the Collection of Walter C. Baker* (New York 1962.

VIVIANI U., *Medici, Fisici e Cerusici della provincia aretina vissuti dal V al XVIII secolo*, Arezzo 1923.

VON HADELN D., *Uber Zeichnungen der früheren Zeit Tizians*, in «Jahrbuch der königlich preussischen Kunstsammlungen», XXXIV (1913) pp. 224-250.

VON HADELN D., *Venezianische Zeichnungen der Hochrenaissance*, Berlin 1925.

VON HADELN D., *Venezianische Zeichnungen des Quattrocento*, Berlin 1925.

VON HADELN D., *Two unpublished Drawings by Tintoretto*, in «The Burlington Magazine» LI, n. 293 (1927)-I, p. 102.

VON HADELN D., *Handzeichnungen von G.B. Tiepolo*, Firenze-München 1927-II.

VON HADELN D., *Die Zeichnungen von Antonio Canal, genannt Canaletto*, Wien, 1930.

WARD-JACKSON P., *Victoria and Albert Museum Catalogue, Italian Drawings* I, 14th - 16th Century, London 1979.

WEHLE H.B., *The Metropolitan Museum of Art, A Catalogue of Italian Spanish and Byzantine Paintings*, New York 1940.

WETHEY H.E., *The Paintings of Titian*, London 1969-1975.

WILDENSTEIN G., *Fragonard aquafortiste*, Paris 1956.

WILTON-ELY J., *The Mind and Art of Giovanni Battista Piranesi*, London 1978.

WINZINGER F., *Albrecht Altdorfer Zeichnungen*, München 1952.

WUNDER R.P., *Extravagant Drawings of the Eighteenth Century from the Collection of the Cooper Union Museum*, New York 1962.

ZANETTI A.M., *Descrizione di tutte le pubbliche pitture della città di Venezia*, Venezia 1733.

ZAVA BOCCAZZI F., *La Basilica dei Santi Giovanni e Paolo in Venezia*, Padova 1965-I.

ZAVA BOCCAZZI F., *Inserti ritrattistici in alcune tele di Palma il giovane* in «Pantheon» XXIII, n. 5 (1965)-II, pp. 292-301.

ZORZI A., *Venezia scomparsa*, Milano 1972.

Esposizioni

Amsterdam, Rijksmuseum, 1953, *De Venetiaanse meesters.*

Bassano del Grappa, Palazzo Sturm, 1963, *Marco Ricci* (catalogo a cura di G.M. Pilo).

Berlino, Staatliche Museen Preussischer Kulturbesitz, Kupferstichkabinett, 1975, *Pieter Bruegel d.Ä. als Zeichner.*

Berlino Est, National-Galerie, 1975, *Zeichnungen aus der Ermitage zu Leningrad. Werke des XV. bis XIX. Jahrhunderts.*

Bloomington, Indiana, Indiana University Art Museum - Stanford, Cal., Stanford University Museum of Art - New York, The Frick Collection, 1979-1980, *Domenico Tiepolo's Punchinello Drawings* (catalogo a cura di M.E. Vetrocq).

Bologna, Palazzo dell'Archiginnasio, 1968, *Il Guercino (Giovanni Francesco Barbieri, 1591-1666) Disegni* (catalogo a cura di D. Mahon).

Brescia, Duomo Vecchio di Brescia e altre sedi, 1965, *Mostra di Girolamo Romanino* (catalogo a cura di G. Panazza).

Cambridge, Mass., Fogg Art Museum, Harvard University, 1970, *Tiepolo. A Bicentenary Exhibition* (catalogo a cura di G. Knox).

Dresda, Albertina - Varsavia, Nationalmuseum - Praga, Nationalgalerie - Budapest, Museum der Bildende Künste, 1978, *Venezianische Malerei 15. bis 18. Jahrhundert.*

Firenze, Gabinetto Disegni e Stampe degli Uffizi, 1967, *Disegni italiani della collezione Santarelli, sec. XV-XVIII.*

Firenze, Gabinetto Disegni e Stampe degli Uffizi, 1976-I, *Tiziano e il disegno veneziano del suo tempo* (catalogo a cura di W.R. Rearick).

Firenze, Gabinetto Disegni e Stampe degli Uffizi, 1976-II, *Omaggio a Leopoldo de' Medici, Parte I, Disegni.*

Firenze, Istituto Universitario Olandese di Storia dell'Arte, 1976-III, *Omaggio a Tiziano. Mostra di disegni, lettere e stampe di Tiziano e artisti nordici* (catalogo a cura di B. Meijer).

Firenze, Gabinetto Disegni e Stampe degli Uffizi, 1978, *I disegni antichi degli Uffizi - I tempi del Ghiberti.*

Firenze, Orsanmichele, 1980, *La corte il mare i mercanti, La rinascita della Scienza, Editoria e Società, Astrologia, magia e alchimia* (sezione della Mostra: *Firenze e la Toscana dei Medici nell'Europa del Cinquecento*).

Liverpool, Walker Art Gallery, 1967, *Old Master Drawings and Prints.*

Londra, Savile Gallery, 1928, *Drawings by Giovanni Battista Tiepolo.*

Londra, Royal Academy of Arts, 1930, *Exibition of Italian Art 1200-1900.*

Londra, Savile Gallery Ltd, 1930, *Drawings by Old Masters* (Introduzione di T. Borenius).

Londra, P. & D. Colnaghi, 1951, *Paintings by Old Masters.*

Londra, P. & D. Colnaghi, 1954, *Paintings by Old Masters.*

Londra, The Arts Council, 1955, *Drawings and Etchings by Giovanni Battista and Giovanni Domenico Tiepolo.*

Londra, P. & D. Colnaghi, 1963, *Exhibition of Old Master Drawings.*

Londra, Royal Academy of Arts, 1963-1964, *Goya and his times.*

Londra, Wildenstein, 1967, *Drawings from the National Gallery of Ireland. A Loan Exhibition.*

Londra, Victoria and Albert Museum, 1973, *Old Master Drawings from Chatsworth. A Loan Exhibition from the Devonshire Collection* (catalogo a cura di J. Byam Shaw).

Londra, H. Terry-Engell Gallery, 1975, *Master Drawings* (Presentazione di Adolphe Stein).

Londra, Baskett and Day, 1976, *Exhibition of Fifty Old Master Drawings.*

Londra, P. & D. Colnaghi, 1978-I, *Works by Sebastiano Ricci from British Collections.*

Londra, Hayward Gallery, 1978-II, *Piranesi* (catalogo a cura di J. Wilton-Ely).

Londra, P. & D. Colnaghi, 1978-III, *Pictures from The Grand Tour.*

Londra, Yvonne Tan Bunzl, Somerville & Simpson Ltd, 1978-IV, *Old Master Drawings.*

Londra, Esteban Cerda Ltd, 1979, *Old Master Drawings* (Presentata da Lorna Lowe).

Londra, Whitechapel Art Gallery - Birmingham, Museum and Art Gallery, 1951, *Eighteenth Century Venice.*

Londra, Victoria and Albert Museum - Parigi, Institut Néerlandais - Berna, Kunstmuseum - Brüxelles, Royal Library of Belgium, 1972, *Flemish Drawings of the Seventeenth Century from the Collection of Frits Lugt, Institut Néerlandais, Paris* (catalogo a cura di C. van Hasselt).

Mantova, Palazzo Ducale, 1961, *Andrea Mantegna.*

Minneapolis, The Minneapolis Institute of Arts - Chicago, Art Institute of Chicago - Kansas City, Missouri, Nelson Gallery and Atkins Museum - Cambridge, Mass., Fogg Art Museum, Harvard University, 1968, *Loan Exhibition, Selections from the Drawing Collection of David Daniels.*

Monte Carlo, Palais des Congrès, 1966, *Catalogue de l'exposition de dessins italiens du XVe au XVIIIe s. de la collection H. de Marignane.*

Monaco, Lulius Böhler, 1977, *Handzeichnungen aus fünf Jahrhunderten 1400-1900 und einige Bronzen und Terrakotten.*

Monaco, Staatliche Graphische Sammlung - Berlino, Staatliche Museen Preussischer Kulturbesitz, Kupferstichkabinett - Amburgo, Kunsthalle - Düsseldorf, Kunstmuseum - Stoccarda, Staatsgalerie, Graphische Sammlung, 1977-1978, *Stiftung Ratjen. Italienische Zeichnungen des 16.-18. Jahrhunderts.*

Nantes, Musée Dobrée, 1966, *Sainte Anne.*

Newcastle upon Tyne, Hatton Gallery, University of Newcastle upon Tyne, 1974, *Italian and other Drawings, 1500-1800.*

New York, Seiferheld Master Drawings, 1961, *Bassano Drawings.*

New York, The Metropolitan Museum of Art, 1971, *Drawings from New York Collections, III. The Eighteenth Century in Italy* (catalogo a cura di J. Bean e F. Stampfle).

New York, The Pierpont Morgan Library, 1973, *Drawings from the Collection of Lore and Rudolf Heinemann* (catalogo a cura di F. Stampfle e C.D. Denison).

New York, The Pierpont Morgan Library, 1975, *Drawings from the Collection of Mr. & Mrs. Eugene V. Thaw* (catalogo a cura di F. Stampfle e C.D. Denison).

New York, The Metropolitan Museum of Art, 1975-1976, *European Drawings recently acquired.*

New York, The Metropolitan Museum of Art, 1978, *XV Century Italian Drawings from the Robert Lehman Collection* (catalogo a cura di G. Szabo)*.*

New York, The Metropolitan Museum of Art, 1979, *XVI Century Italian Drawings from the Robert Lehman Collection* (catalogo a cura di G. Szabo).

Nizza, Musée National Message Biblique Marc Chagall, 1979, *L'art religieux à Venise, 1500-1600.*

Oakland, Mills College Art Gallery - San Francisco, California Palace of the Legion of Honor, 1960, *Venetian Drawings 1600-1800* (catalogo a cura di J. Scholz).

Parigi, Bibliothèque Nationale, 1932, *Exposition de l'oeuvre de Pisanello.*

Parigi, Petit Palais, 1935, *Exposition de l'art italien de Cimabue à Tiepolo,* settore disegni (a cura di Ch. Sterling).

Parigi, Institut Néerlandais, 1957, *Rembrandt et son école* (senza catalogo).

Parigi, Musée du Louvre, 1967, *Le cabinet d'un grand amateur P.-J. Mariette 1694-1774. Dessins du XVe siècle au XVIIIe siècle.*

Parigi, Musée de l'Orangerie des Tuileries, 1971, *Venise au dix-huitième siècle.*

Parigi, Institut Néerlandais, 1974, *Acquisitions récentes de toutes époques.*

Parigi, Galerie Cailleux, 1974, *Giambattista Tiepolo, 1696-1770, Domenico Tiepolo, 1727-1804, Lorenzo Tiepolo, 1736-1776. Peintures-Dessins-Pastels.*

Parigi, Musée du Louvre, 1975, *Dessins italiens de l'Albertina de Vienne.*

Parigi, Institut Néerlandais, 1976, *Hommage à Titien. Dessins, gravures, lettres autographes* (catalogo a cura di B. Meijer).

Parigi, Institut Néerlandais, 1980, *De Ricci à Tiepolo. Dessins vénitiens du XVIIIe siècle de la Fondation Custodia, collection Frits Lugt.*

Parigi, Institut Néerlandais - Rotterdam, Museum Boymans-van Beuningen - Haarlem, Teylers Museum, 1962, *Le dessin italien dans les collections hollandaises.*

Pisa, Arsenale Mediceo e altri luoghi, 1980, *Livorno e Pisa: due città e un territorio nella politica dei Medici.*

Roma, W. Apolloni, 1978, *Dai Manieristi ai Neoclassici.*

Rotterdam, Museum Boymans, 1938, *Meesterwerken uit vier eeuwen, 1400-1800.*

Santa Barbara, University Art Galleries, University of California, 1977, *Regional Styles of Drawing in Italy: 1600-1700.*

Stoccarda, Staatsgalerie Graphische Sammlung, 1970, *Tiepolo. Zeichnungen von Giambattista, Domenico und Lorenzo Tiepolo aus Graphischen Sammlung der Staatsgalerie Stuttgart, aus württembergischem Privatbesitz und dem Martin von Wagner Museum der Universität Würzburg* (catalogo a cura di G. Knox e Chr. Thiem).

Trieste, Museo Sartorio, 1972, *Pitture, disegni e stampe del '700 dalle collezioni dei Civici Musei di Storia ed Arte di Trieste.*

Udine, Villa Manin di Passariano, 1971, *Mostra del Tiepolo, dipinti* (catalogo a cura di A. Rizzi).

Udine, Sala Aiace del Comune, 1975, *Sebastiano Ricci disegnatore* (catalogo a cura di A. Rizzi).

Venezia, Fondazione Giorgio Cini, 1955, *Cento antichi disegni veneziani* (catalogo a cura di G. Fiocco).

Venezia, Fondazione Giorgio Cini, 1956, *Disegni del Museo Civico di Bassano* (catalogo a cura di L. Magagnato).

Venezia, Fondazione Giorgio Cini, 1957, *Disegni veneti della collezione Janos Scholz* (catalogo a cura di M. Muraro).

Venezia, Fondazione Giorgio Cini, 1958, *Disegni veneti in Polonia* (catalogo a cura di M. Mrozinska).

Venezia, Ca' Pesaro, 1959-I, *La pittura del Seicento a Venezia.*

Venezia, Fondazione Giorgio Cini, 1959-II, *Disegni e dipinti di Giovanni Antonio Pellegrini* (catalogo a cura di A. Bettagno).

Venezia, Fondazione Giorgio Cini, 1959-III, *Disegni veneti del Settecento nella collezione Paul Wallraf* (catalogo a cura di A. Morassi).

Venezia, Palazzo Ducale, 1963-I, *Vittore Carpaccio.*

Venezia, Fondazione Giorgio Cini, 1963-II, *Disegni veneti del Settecento della Fondazione Giorgio Cini e delle collezioni venete* (catalogo a cura di A. Bettagno).

Venezia, Fondazione Giorgio Cini, 1964, *Disegni veneti del museo di Leningrado* (catalogo a cura di L. Salmina).

Venezia, Fondazione Giorgio Cini, 1965, *Disegni veneti del Museo di Budapest* (catalogo a cura di I. Fenyö).

Venezia, Fondazione Giorgio Cini, 1966, *Disegni di una collezione veneziana del Settecento* (catalogo a cura di A. Bettagno).

Venezia, Fondazione Giorgio Cini, 1971, *Disegni veronesi del Cinquecento* (catalogo a cura di T. Mullaly).

Venezia, Fondazione Giorgio Cini, 1976, *Disegni di Tiziano e della sua cerchia* (catalogo a cura di K. Oberhuber).

Venezia, Fondazione Giorgio Cini, 1978, *Disegni di Giambattista Piranesi* (catalogo a cura di A. Bettagno).

Venezia, Palazzo Ducale, 1979, *Tiepolo, tecnica e immaginazione* (catalogo a cura di G. Knox).

Venezia, Palazzo Ducale, 1979-1980, *Venezia e la peste.*

Venezia, Fondazione Giorgio Cini, 1980, *Disegni veneti di collezioni inglesi* (catalogo a cura di J. Stock).

Verona, Palazzo della Gran Guardia, 1974, *Cinquant'anni di pittura veronese, 1580-1630* (catalogo a cura di L. Magagnato).

Vicenza, Basilica Palladiana di Vicenza, 1956, *Francesco Maffei* (catalogo a cura di N. Ivanoff).

Washington, D.C., National Gallery of Art - Dallas, Texas, Dallas Museum of Fine Arts - Detroit, Michigan, The Detroit Institute of Arts, 1976-1977, *Titian and the Venetian Woodcut* (catalogo a cura di D. Rosand e M. Muraro).

Washington, D.C., National Gallery of Art - Fort Worth, Texas, Kimbell Art Museum - St. Louis, Missouri, The St. Louis Art Museum, 1974-1975, *Venetian Drawings from American Collections* (catalogo a cura di T. Pignatti).

Washington, D.C., National Gallery of Art - New York, The Pierpont Morgan Library, 1973-1974, *Sixteenth Century Italian Drawings from the Collection of Janos Scholz* (catalogo a cura di K. Oberhuber e D. Walker).

Washington, D.C., National Gallery of Art - Houston, Texas, The Museum of Fine Arts - Los Angeles, Los Angeles County Museum of Art - San Francisco, California Palace of the Legion of Honor, 1963-1964, *Eighteenth-Century Venetian Drawings from the Correr Museum* (catalogo a cura di T. Pignatti).

Indici

Indice delle collezioni di provenienza dei disegni esposti

(I numeri si riferiscono alle schede)

Indice degli artisti e dei luoghi

I numeri si riferiscono alle schede

Indice generale

135

Illustrazioni

1.   Stefano da Verona

2. (verso). Stefano da Verona

2.   (recto). Stefano da Verona.

3. Stefano da Verona

4. Stefano da Verona

i fornace ignis ardentis

5.   (recto). Stefano da Verona

5. (verso). Stefano da Verona

6. Stefano da Verona

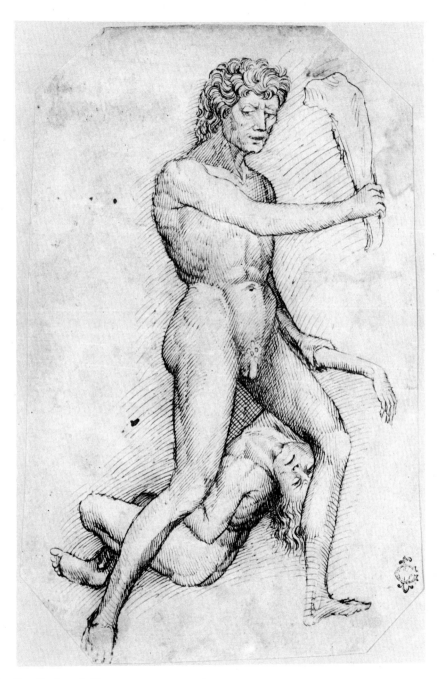

7.   Stefano da Verona

8.   Stefano da Verona

9. Stefano da Verona

10.   Stefano da Verona

11.   Pisanello

12.   (recto). Pittore veronese, prima metà sec. XV

12.   (verso). Pittore veronese, prima metà sec. XV

13.   Pittore veronese, prima metà sec. XV

4. (recto). Pittore veronese, inizi sec. XV

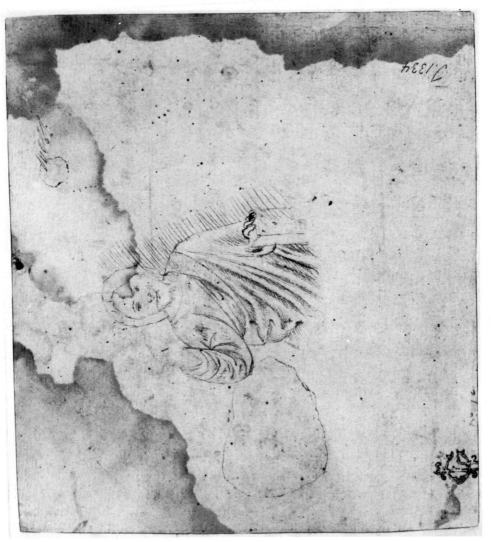

14. (verso). Pittore veronese, inizi sec. XV

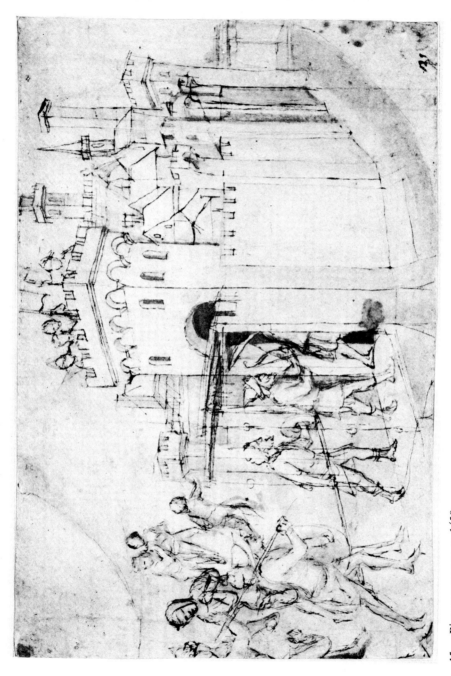

15. Pittore veronese, c. 1450

16.   Pittore veronese, seconda metà sec. XV

Pittore veronese, metà sec. XV

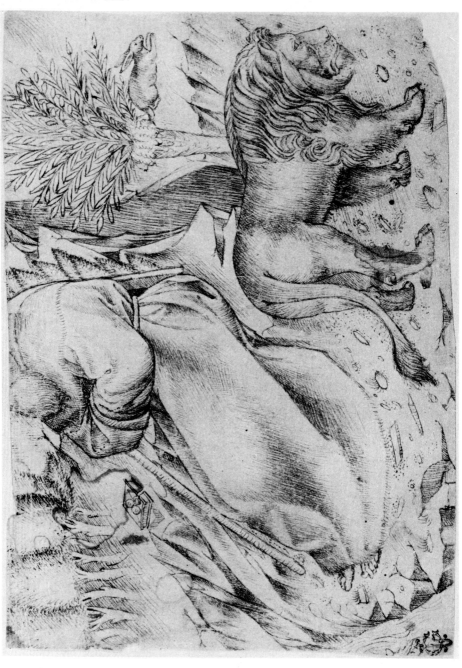

18 Pittore veronese c. 1450

19. (recto). Pittore veronese, metà sec. XV

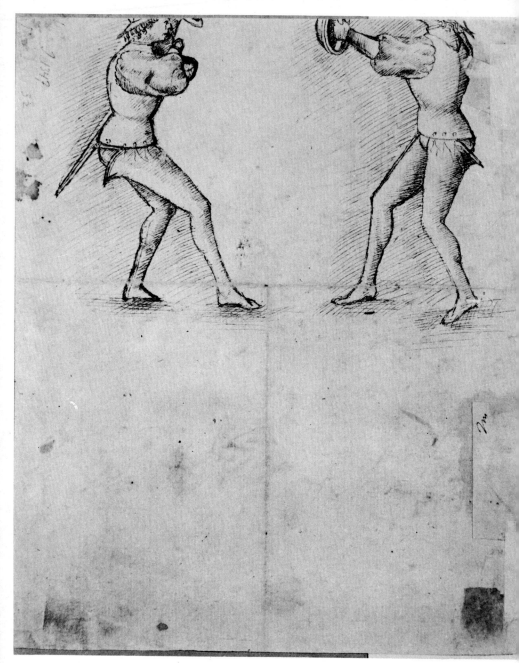

19. (verso). Pittore veronese, metà sec. XV

20. Pittore veronese, metà sec. XV

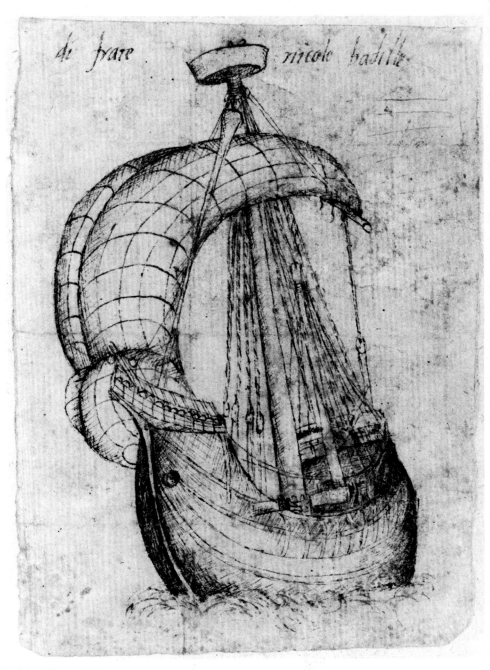

21.   Pittore dell'Italia Settentrionale, metà sec. XV

22.   Pittore dell'Italia Settentrionale, seconda metà sec. XV

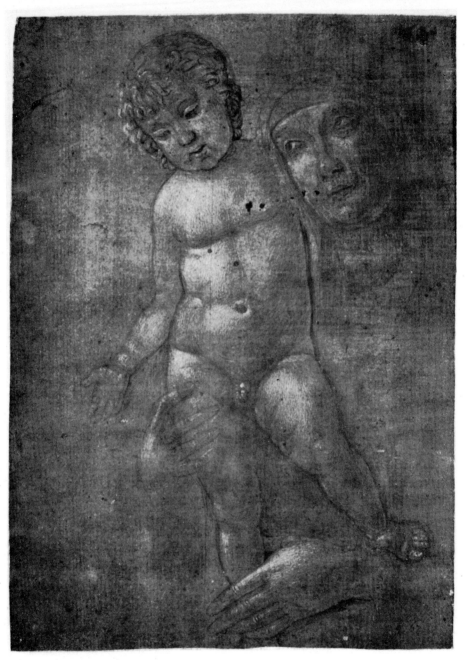

23.   Andrea Mantegna (?)

24. Giovanni Bellini

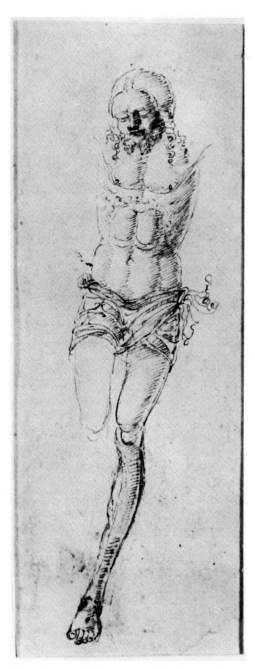

25.   Seguace di Mantegna e Bellini, seconda metà sec. XV

26. Bernardo Parentino

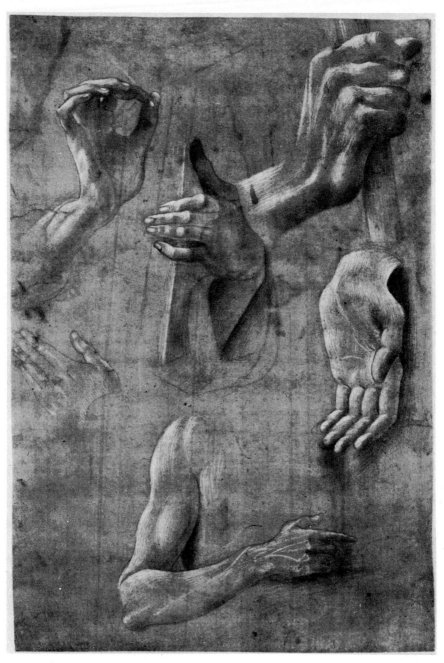

27.   Alvise Vivarini

28.   Vittore Carpaccio

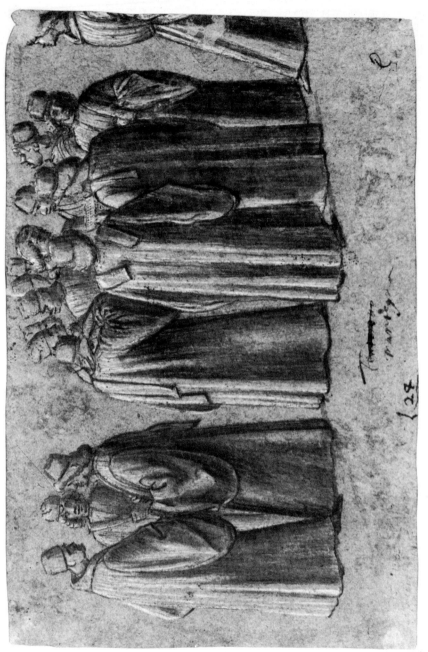

29. (verso). Vittore Carpaccio

29. (recto). Vittore Carpaccio

31. Liberale da Verona

32.   Pittore dell'Italia Settentrionale, c. 1500

33.   Pittore dell'Italia Settentrionale, c. 1500

34. Battista Franco

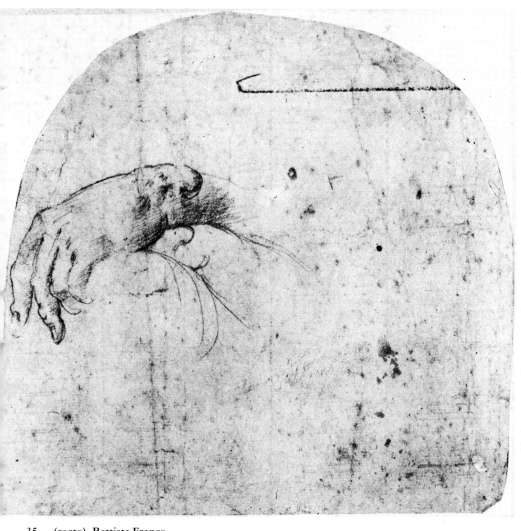

35.　(recto). Battista Franco

35.   (recto). Battista Franco

36. Tiziano (part.)

36. Tiziano

37. Giulio Campagnola

38. Domenico Campagnola

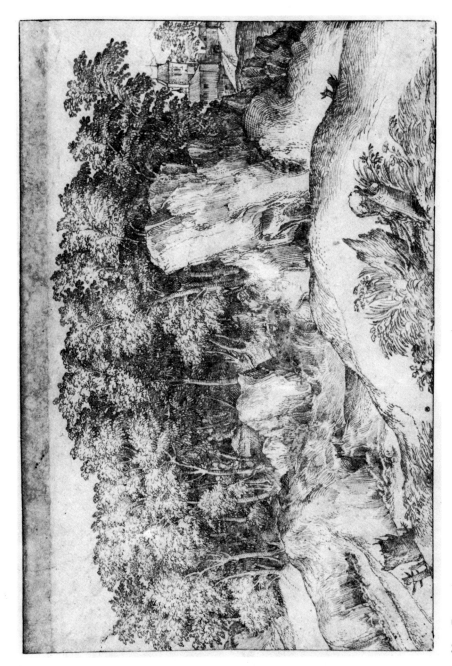

39.   Domenico Campagnola

40.   Domenico Campagnola

41.   Domenico Campagnola

42.   Pittore bresciano, c. 1530

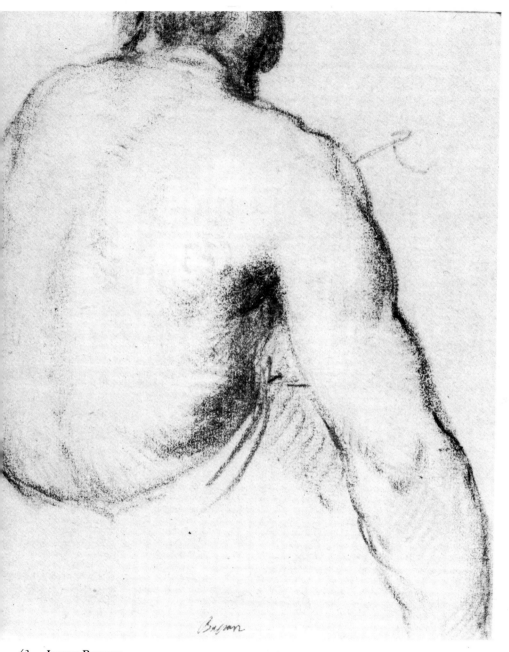

43. Jacopo Bassano

44. Jacopo Bassano

45. Leandro Bassano

46. Leandro Bassano

47.   Battista Angelo del Moro

48. Giuseppe Porta Salviati

49. Jacopo Tintoretto

50.   Domenico Tintoretto

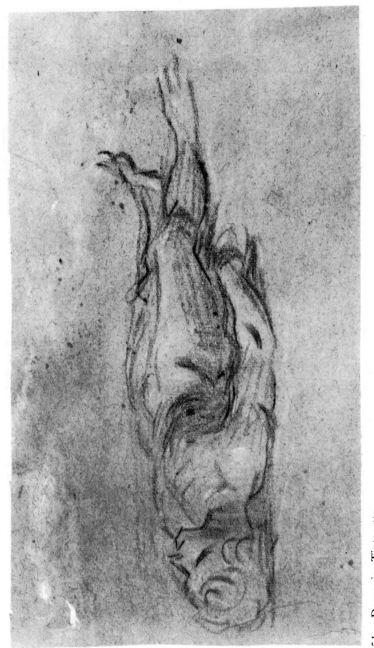

51. Domenico Tintoretto

52. **Paolo Veronese** (scuola di —)

52. **Paolo Veronese** (scuola di —. part.)

53.　Paolo Farinati

54.   Bernardino India

55. Jacopo Palma il Giovane

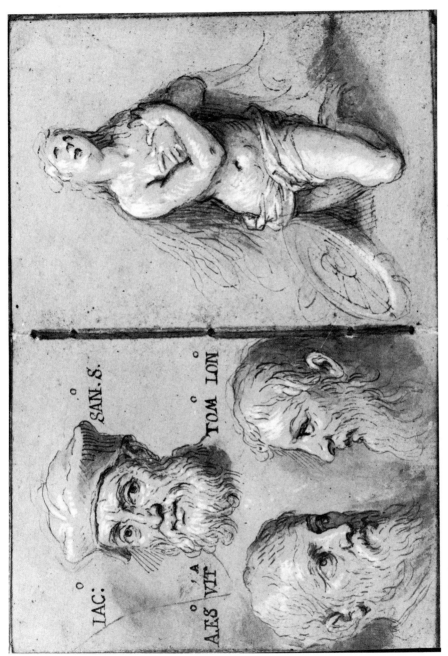

55.   Jacopo Palma il Giovane

55. Jacopo Palma il Giovane

55.   Jacopo Palma il Giovane

56. Jacopo Palma il Giovane

57.   (recto). Alessandro Maganza

57. (verso). Alessandro Maganza

58.   Alessandro Maganza

59.　Alessandro Maganza

60. Alessandro Maganza

61. Alessandro Maganza

62.   Alessandro **Maganza**

63. Marcantonio Bassetti

All'or per meraviglia e per tuo giuoco
Venn'io farfala e corsi all'alba bella
t'iama, a cui sarà il mondo, angusto celo

64.   Francesco Maffei

65.   Pittore veneziano, prima metà sec. XVII

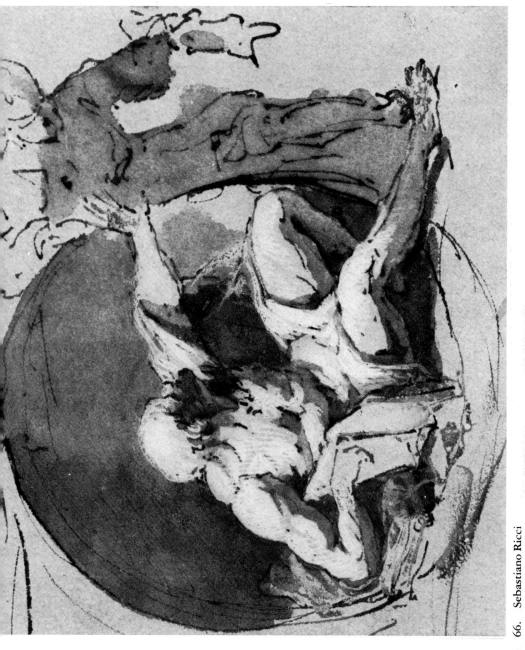

66.   Sebastiano Ricci

67. Sebastiano Ricci

68. *Sebastiano Ricci*

69. Marco Ricci

70.　Marco Ricci

71. Antonio Balestra

72. Luca Carlevarijs

73. Pittore veneziano, inizi sec. XVIII

74. Gaspare Diziani

75. Giambattista Piazzetta

76.   Antonio Visentini

77. Giambattista Tiepolo

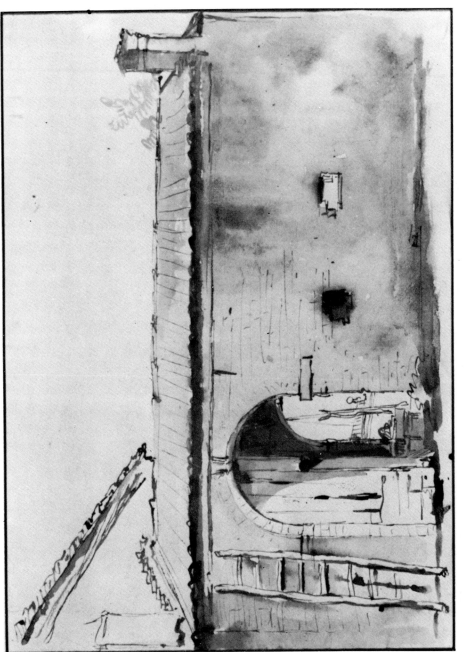

78. Giambattista Tiepolo

79. Giambattista Tiepolo

80.   Giambattista Tiepolo

81.   Giambattista Tiepolo

82. (recto). Giambattista Tiepolo

J. 9053

82.   (verso). Giambattista Tiepolo

83.   Giambattista Tiepolo

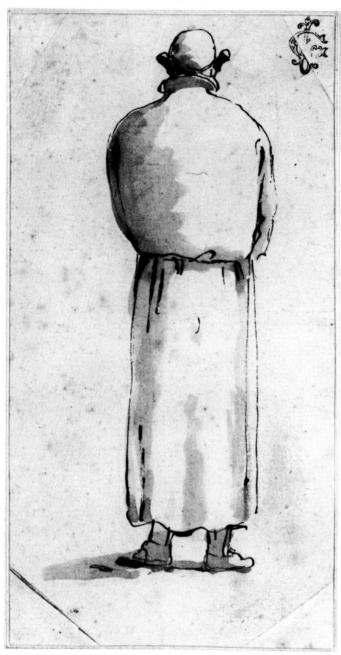

84. Giambattista Tiepolo

85. Giambattista Tiepolo

86. Giambattista Tiepolo

87.　Giambattista Tiepolo

MELEAGRO.

88.   Giambattista Tiepolo

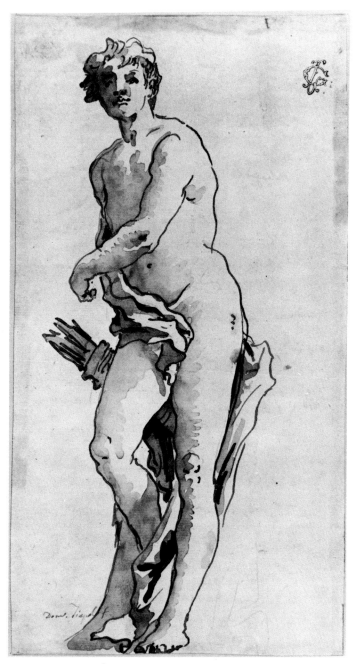

89.　Giandomenico Tiepolo

90.   Giandomenico Tiepolo

91.   Giandomenico Tiepolo

92. Giandomenico Tiepolo

93. Canaletto

94. Canaletto

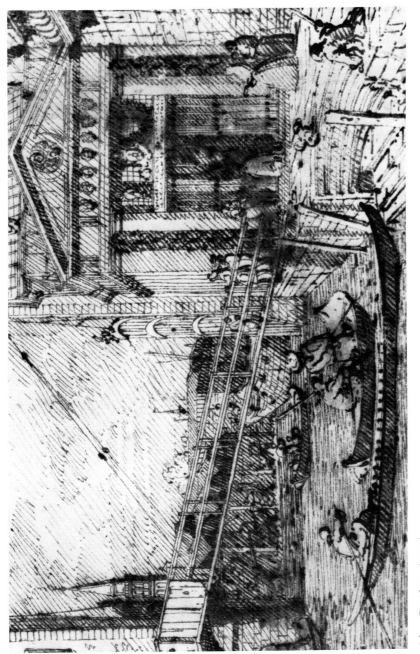

94.   Canaletto (part.)

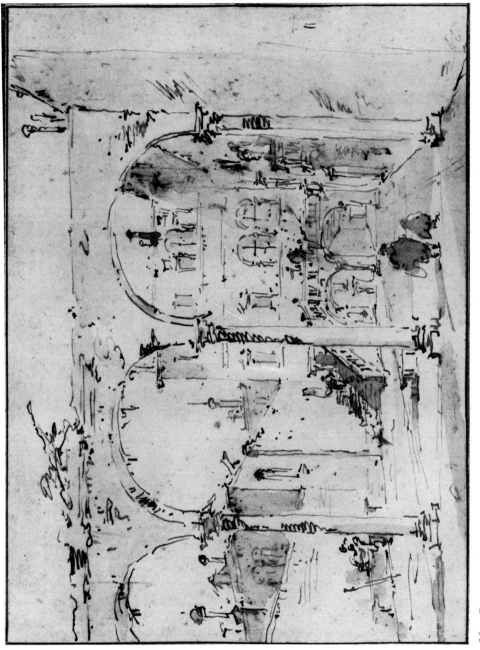

96.   Francesco Guardi

97. Bartolomeo Nazari

98.   Pietro Rotari

Acqua.

100. Francesco Fontebasso

Fuoco.

102. Francesco Fontebasso

103.   Andrea Torresani

104. (recto). Pittore veneto, seconda metà sec. XVIII

104.   (verso). Pittore veneto, seconda metà sec. XVIII

FABBRICA
DI PANNI DI SETA,
ED IN ORO
DI
FRANCESCO ZAPELLA
A S. GIROLAMO
IN VENEZIA.

105.   Pietro Antonio Novelli

106.   Pietro Antonio Novelli

107. Pietro Antonio Novelli

108. Giambattista Piranesi

109. Giuseppe Bernardino Bison

112-113.　Giuseppe Bernardino Bison

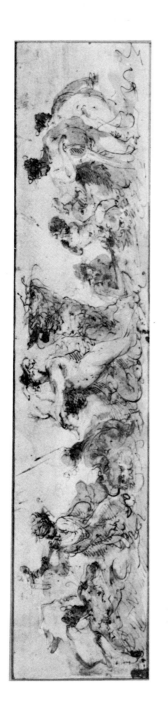

110-111. Giuseppe Bernardino Bison

114. Giuseppe Bernardino Bison

115.   Francesco Guardi (olio su tela)

115.   Francesco Guardi (part.)

GENERALI
Assicurazioni Generali S.p.A.

**Dal 1831
una tradizione di professionalità**

PUBBLICAZIONI EDITE O PROMOSSE
DAL CENTRO DI CULTURA E CIVILTÀ
della Fondazione Giorgio Cini

STORIA DELLA CIVILTÀ VENEZIANA, a cura di VITTORE BRANCA, con introduzioni di FERNAND BRAUDEL e ALBERTO TENENTI, 1979. Editore Sansoni, Firenze.

Vol. I. *Dalle origini al secolo di Marco Polo.*
Scritti di: R. BACCHELLI, S. BETTINI, G.P. BOGNETTI, F. BRAUDEL, P. BREZZI, O. DEMUS, G. DE VERGOTTINI, E. DUPRÉ THESEIDER, G. FASOLI, G. FIOCCO, M. LOMBARD, R. SABATINO LOPEZ, G. LUZZATTO, S. MAZZARINO, M. MOLLAT, A. MONTEVERDI, C.G. MOR, M. NALLINO, A. PERTUSI, Y. RENOUARD, S. RUNCIMAN, E. SESTAN, M.F. TIEPOLO, M. UHLIRZ, C. VIOLANTE, D.A. ZAKYTHINOS.

Vol. II. *Autunno del Medioevo e Rinascimento.*
Scritti di: F. BABINGER, G. BARBLAN, F. BRAUDEL, F. CHABOD, L. COLETTI, G. DE LUCA, W. TH. ELWERT, G. FIOCCO, PH. GRIERSON, H. JEDIN, P.O. KRISTELLER, G. LUZZATTO, A. MALRAUX, G. MARANINI, R. MOROZZO DELLA ROCCA, B. NARDI, J. ORTEGA Y GASSET, R. PALLUCCHINI, G. PIOVENE, M.F. TIEPOLO, U. TUCCI, D. VALERI, N. VALERI, A. VISCARDI, G. VOLPE.

Vol. III. *Dall'Età barocca all'Italia contemporanea.*
Scritti di: H. BENEDIKT, M. BERENGO, U. BOSCO, L. BRIGUGLIO, F. CARNELUTTI, A. CHASTEL, L. COLETTI, G. DAMERINI, A. DELLA CORTE, G. DE LUCA, G. DE ROSA, A. FANFANI, T. GALLARATI-SCOTTI, G. GETTO, N. IVANOFF, G. LUZZATTO, M. MARCAZZAN, R. MOROZZO DELLA ROCCA, P. NARDI, G. PALEWSKI, R. PALLUCCHINI, E. PASSERIN D'ENTREVES, G. POLVANI, M. PRAZ, G.D. ROMANELLI, L. RONGA, L. SALVATORELLI, D. SELLA, E. SESTAN, M.F. TIEPOLO, D. VALERI, F. VALSECCHI, A. VECCHI.

(Ristampa riveduta e completata della precedente edizione in 11 volumi).

CIVILTÀ EUROPEA E CIVILTÀ VENEZIANA
Editore Sansoni, Firenze.

1. *Barocco europeo e barocco veneziano,* a cura di VITTORE BRANCA, 1962.
2. *Umanesimo europeo e umanesimo veneziano,* a cura di VITTORE BRANCA, 1963.
3. *Rinascimento europeo e rinascimento veneziano,* a cura di VITTORE BRANCA, 1967.
4. *Venezia e l'Oriente fra tardo Medioevo e Rinascimento,* a cura di AGOSTINO PERTUSI, 1966.
5. *Sensibilità e razionalità nel Settecento,* a cura di VITTORE BRANCA, 1967.
6. *Rappresentazione artistica e rappresentazione scientifica nel « Secolo dei lumi »,* a cura di VITTORE BRANCA, 1972.
7. *Concetto, storia, miti e immagini del Medio Evo,* a cura di VITTORE BRANCA, 1973.
8. *Dal Medioevo al Rinascimento. Aspetti e problemi,* a cura di VITTORE BRANCA (in preparazione).

I

9. *Dal Romanticismo al Surrealismo,* a cura di VITTORE BRANCA (in corso di stampa).

CIVILTÀ VENEZIANA
Editore Leo S. Olschki, Firenze.

FONTI E TESTI

Serie Prima:

* 1. V. SCAMOZZI, *Taccuino di viaggio da Parigi a Venezia,* (*14 marzo-11 maggio 1600*), a cura di FRANCO BARBIERI, 1959.

* 2. A. CANOVA, *I quaderni di viaggio* (*1779-1780*), a cura di ELENA BASSI, 1959.

* 3. T. TEMANZA, *Zibaldon,* a cura di NICOLA IVANOFF, 1963.

4. M. BOSCHINI, *La carta del navegar pitoresco,* a cura di ANNA PALLUCCHINI, 1966.

5. P. FARINATI, « *Giornale* (*1573-1606*) », a cura di LIONELLO PUPPI, 1968.

6. L. LOTTO, *Libro di spese diverse* (*1538-1556*), a cura di PIETRO ZAMPETTI, 1969.

7. N. MELCHIORI, *Notizie di pittori e altri scritti,* a cura di GIAMPAOLO BORDIGNON FAVERO, 1969.

8. G. GUALDO jr., *1650. Il giardino di chà Gualdo,* a cura di LIONELLO PUPPI, 1972.

Serie Seconda:

* 1. *La corrispondenza da Madrid dell'ambasciatore Leonardo Donà* (*1570-1573*), a cura di MARIO BRUNETTI ed ELIGIO VITALE, 1963.

Serie Terza:

1. *El libro agregà de Serapiom* (*Erbario Carrarese*), a cura di GUSTAV INEICHEN.
* Tomo I (1962);
Tomo II (1966).

2. A. MERCENARIO, *In primum de Anima,* a cura di LETTERIO BRIGUGLIO ed EMILIO SCAPIN, 1961.

3. M. DA CANAL, *Les estoires de Venise. Cronaca veneziana in lingua francese dalle origini al 1275,* a cura di ALBERTO LIMENTANI, 1973.

STUDI

* 1. N. BARBANTINI, *Scritti d'arte inediti e rari,* a cura di GINO DAMERINI e con una premessa di B. BERENSON, 1953.

2. L. OLSCHKI, *L'Asia di Marco Polo,* 1957. Ristampa 1978.

3. E. PASTORELLO, *L'Epistolario Manuziano* (*Inventario cronologico-analitico: 1483-1597*), 1957.

* 4. G. COZZI, *Il doge Nicolò Contarini. Ricerche sul patriziato veneziano agli inizi del Seicento,* 1958.

---

* *Volume distrutto nell'inondazione di Firenze del 4 nov. 1966. Ne è prevista la ristampa, per cui si accettano prenotazioni.*

* 5. W. Th. Elwert, *Studi di letteratura veneziana*, 1958.

6. *Studi Goldoniani. Atti del Convegno Internazionale di Studi goldoniani (28 settembre-1 ottobre 1957)*, a cura di Vittore Branca e Nicola Mangini, 1960.

* 7. E. Zanette, *Suor Arcangela, monaca del Seicento veneziano*, 1961.

8. *Venezia nelle letterature moderne. Atti del primo Congresso dell'Associazione Internazionale di Letteratura comparata (25-30 settembre 1955)*, a cura di Carlo Pellegrini, 1961. Ristampa 1971.

* 9. *Aspetti e cause della decadenza economica veneziana nel secolo XVII. Atti del Convegno 27 giugno-2 luglio 1957*, 1961.

10. E. Pastorello, *Inedita Manutiana*, 1960.

11. D. Sella, *Commerci e industrie a Venezia nel secolo XVII*, 1961.

* 12. D. Beltrami, *Forze di lavoro e proprietà fondiaria nelle campagne venete dei secoli XVII e XVIII*, 1961.

13. S. Dalla Libera, *L'arte degli organi a Venezia*, 1962. Ristampa 1979.

* 14. G. Ortolani, *La riforma del Teatro nel Settecento e altri scritti*, 1962.

* 15. A. Vecchi, *Correnti religiose nel Sei-Settecento veneto*, 1962.

16. A. Pertusi, *Leonzio Pilato fra Petrarca e Boccaccio*, 1964. Ristampa 1979.

17. *Arte neoclassica*, 1964.

18. S. Dalla Libera, *L'arte degli organi nel Veneto: la diocesi di Céneda*, 1966. Ristampa 1979.

19. *Venezia e la Polonia nei secoli dal XVII al XIX. (Atti del Convegno 28 maggio-2 giugno 1963)*, a cura di Luigi Cini, 1965. Ristampa 1968.

20. U. Monneret de Villard, *Introduzione allo studio dell'archeologia islamica*, 1966. Ristampa 1968.

21. *Dante e la cultura veneta. Atti del Convegno di Studi (Venezia, Padova, Verona 30 marzo-5 aprile 1966)*, a cura di Vittore Branca e Giorgio Padoan, 1967.

22. G. Cracco, *Società e Stato nel Medioevo veneziano (secoli XII-XIV)*, 1967.

23. *Mediterraneo e Oceano Indiano. Atti del VI colloquio internazionale di storia marittima (Venezia 20-24 settembre 1962)*, a cura di Manlio Cortelazzo, 1970.

24. *Studi sul Teatro veneto fra Rinascimento ed Età barocca*, a cura di M. Teresa Muraro e con una presentazione di Gianfranco Folena, 1971.

25. A. Carile, *La cronachistica veneziana (secoli XIII-XVI) di fronte alla spartizione della Romania nel 1204*, 1969.

26. R. J. Loenertz, *Les Ghisi. Dynastes vénitiens dans l'Archipel 1207-1390*, 1975.

27. *Venezia e il Levante fino al secolo XV. Atti del I Convegno internazionale di storia della civiltà veneziana (Venezia 1-5 giugno 1968)*, a cura di Agostino Pertusi, 1973.

28. *Venezia e Ungheria nel Rinascimento. Atti del Congresso (Venezia 11-14 giugno 1970)*, a cura di Vittore Branca, 1973.

---

* *Volume distrutto nell'inondazione di Firenze del 4 nov. 1966. Ne è prevista la ristampa, per cui si accettano prenotazioni.*

29. *Italia, Venezia e Polonia tra Illuminismo e Romanticismo. Atti del III Convegno (Venezia 15-17 ottobre 1970)*, a cura di VITTORE BRANCA, 1973.
30. *Il Mediterraneo nella seconda metà del '500 alla luce di Lepanto*, a cura di GINO BENZONI, 1974.
31. *Sviluppi scientifici, prospettive religiose, movimenti rivoluzionari in Cina*, a cura di LIONELLO LANCIOTTI, 1975.
32. *Venezia centro di mediazione tra Oriente e Occidente (secc. XV-XVI)*, a cura di H. G. BECK, M. MANOUSSACAS e A. PERTUSI, 1977.
33. *Venezia e Ungheria nel contesto del Barocco europeo*, a cura di VITTORE BRANCA, 1979.
34. *Il diritto in Cina. Teoria e applicazioni durante le dinastie imperiali e problematica del diritto cinese contemporaneo*, a cura di LIONELLO LANCIOTTI, 1978.
35. *Italia, Venezia e Polonia tra Medioevo e Età moderna*, a cura di VITTORE BRANCA e SANTE GRACIOTTI, 1980.
36. *La donna nella Cina imperiale e nella Cina repubblicana*, a cura di LIONELLO LANCIOTTI, 1980.

SAGGI

  1. D. BELTRAMI, *Saggio di storia dell'agricoltura nella Repubblica di Venezia durante l'età moderna*, 1956.
  2. M. LABROCA, *Malipiero, musicista veneziano*, 1957.
  3. F. GAETA, *Il vescovo Pietro Barozzi e il trattato « De Factionibus Extinguendis »*, 1958.
* 4. R. WEISS, *Un umanista veneziano: Papa Paolo II*, 1958.
  5. A. MOMIGLIANO, *Saggi goldoniani*, a cura di VITTORE BRANCA, 1959. Ristampa 1968.
* 6. M. PECORARO, *Per la storia dei carmi del Bembo*, 1959.
  7. E. CACCIA, *Carattere e caratteri nella Commedia del Goldoni*, 1959. Ristampa 1967.
* 8. B. GAMBA, *Serie degli scritti impressi in dialetto veneziano*, II edizione, con giunte e correzioni inedite, riveduta e annotata da NEREO VIANELLO, 1959.
* 9. F. GAETA, *Un nunzio pontificio a Venezia nel Cinquecento (Girolamo Aleandro)*, 1960.
* 10. N. MANGINI, *Bibliografia goldoniana (1908-1957)*, 1961.
 11. F. CHABOD, *La politica di Paolo Sarpi*, 1962. Ristampa 1968.
* 12. A. ROSELLINI, *Rolandiana Marciana*, 1962.
* 13. G. TORCELLAN, *Una figura della Venezia settecentesca: Andrea Memmo*, 1963.
* 14. N. VIAN, *Sulla soglia di Venezia*, 1964.
 15. A. GALLO - G. MANTESE, *Ricerche sulle origini della Cappella Musicale del Duomo di Vicenza*, 1964.

---

* *Volume distrutto nell'inondazione di Firenze del 4 nov. 1966. Ne è prevista la ristampa, per cui si accettano prenotazioni.*

16. R. GALLO, *Il tesoro di San Marco e la sua storia*, 1967.
17. G. FEDALTO, *Ricerche storiche sulla posizione giuridica ed ecclesiastica dei Greci a Venezia nei secoli XV e XVI*, 1967.
18. *La storiografia veneziana fino al secolo XVI. Aspetti e problemi*, a cura di AGOSTINO PERTUSI, 1970.
19. G. RAVEGNANI, *Le biblioteche del monastero di San Giorgio Maggiore* e con un saggio di NICOLA IVANOFF, 1976.
20. *Manzoni, Venezia e il Veneto* a cura di VITTORE BRANCA, † ETTORE CACCIA e CESARE GALIMBERTI, 1976.
21. *Petrarca, Venezia e il Veneto*, a cura di GIORGIO PADOAN, 1976.
22. *Niccolò Tommaseo nel centenario della morte*, a cura di VITTORE BRANCA e GIORGIO PETROCCHI, 1977.
23. *Lauro Quirini umanista*. Studi e testi a cura di K. Krautter, P. O. Kristeller, A. Pertusi, G. Ravegnani, H. Roob, C. Seno. Raccolti e presentati da VITTORE BRANCA, 1977.
24. *Tiziano e il Manierismo europeo*, a cura di RODOLFO PALLUCCHINI, 1978.
25. *Boccaccio, Venezia e il Veneto*, a cura di VITTORE BRANCA e GIORGIO PADOAN, 1979.
26. *Omaggio a Diego Valeri*, a cura di UGO FASOLO, 1979.
27. *Giorgione e l'Umanesimo veneziano*, a cura di RODOLFO PALLUCCHINI, 1981.
28. *Giorgio Valla tra scienza e sapienza*, studi di GIANNA GARDENAL, PATRIZIA LANDUCCI RUFFO, CESARE VASOLI. Raccolti e presentati da VITTORE BRANCA, 1981.
29. *Piranesi tra Venezia, Roma e l'Europa*, a cura di ALESSANDRO BETTAGNO (in corso di stampa).
30. *Vico/Venezia*, a cura di GILBERTO PIZZAMIGLIO e CESARE DE MICHELIS (in corso di stampa).
31. *Vittorino da Feltre e la sua scuola: umanesimo, pedagogia, arti*, a cura di NELLA GIANNETTO (in corso di stampa).

DIZIONARI DIALETTALI E STUDI LINGUISTICI

— A. PRATI, *Dizionario Valsuganotto*, 1960. Ristampa 1977.
— D. OLIVIERI, *Toponomastica veneta*, 1962. Ristampa 1977.
— E. QUARESIMA, *Vocabolario anaunico e solandro*, 1964.
— A. PRATI, *Etimologie venete*, a cura di GIANFRANCO FOLENA e di GIOVAN BATTISTA PELLEGRINI, 1969.
— E. ROSAMANI, *Vocabolario marinaresco giuliano-dalmata*, a cura di MARIO DORIA, 1975.

QUADERNI DELL'ARCHIVIO LINGUISTICO VENETO

1. H. Y. FREY, *Per la posizione lessicale dei dialetti veneti*, 1962.
2. E. GIAMMARCO, *Lessico marinaresco abruzzese e molisano*, 1964.
3. G. OMAN, *L'ittionimia nei paesi arabi del Mediterraneo*, 1966.
4. H. e R. KAHANE - L. BREMNER, *Glossario degli antichi portolani italiani*, 1968.
5. G. BEGGIO, *I mulini natanti dell'Adige*, 1969.

DOCUMENTI

Inventari delle carte del secolo XIII. Archivi ecclesiastici. Diocesi Torcellana. *San Maffio di Mazzorbo e Santa Margherita di Torcello*, a cura di LINA FRIZZIERO, 1965.

ANNALI DELLA TIPOGRAFIA DEL CINQUECENTO

Editore Istituto per la Collaborazione Culturale, Venezia-Roma. Esclusività di vendita: Leo S. Olschki, Firenze.
A. TINTO, *Annali tipografici dei Tramezzino*, 1966. Ristampa 1968.

IL TESORO DI SAN MARCO

Editore Sansoni, Firenze.

Vol. I - *La Pala d'oro*, 1965.
Testi di: B. BISCHOFF, G. FIOCCO, H. R. HAHNLOSER, A. PERTUSI, W. F. VOLBACH.
Vol. II - *Il tesoro e il museo*, 1971.
Testi di: W. F. VOLBACH, A. GRABAR, K. ERDMANN, H. R. HAHNLOSER, E. STEINGRÄBER, G. MARIACHER, R. PALLUCCHINI.

STORIA DELLA PITTURA VENEZIANA

Editore Istituto per la Collaborazione Culturale, Venezia-Roma. Esclusività di vendita: Unione Editoriale, Roma.
— R. PALLUCCHINI, *La pittura veneziana del Trecento*, 1964.
— R. PALLUCCHINI, *La pittura veneziana del Settecento*, 1960 (edita anche in lingua tedesca).

LE FESTE VENEZIANE, di BIANCA TAMASSIA MAZZAROTTO, 1962. Ristampa 1980. Editore Sansoni, Firenze.

LA LINEA VENETA NELLA CULTURA CONTEMPORANEA

Editore Neri Pozza, Vicenza.
— *Guido Piovene*, a cura di STEFANO ROSSO-MAZZINGHI, 1980.
— *Dino Buzzati*, a cura di ALVISE FONTANELLA (in corso di stampa).

CATALOGHI DI MOSTRE

Editore Neri Pozza, Vicenza

1. *Cento antichi disegni veneziani*, a cura di GIUSEPPE FIOCCO, 1955.
2. *Legature veneziane del XV e XVI secolo*, a cura di TAMMARO DE MARINIS, 1955.
3. *Disegni del Museo di Bassano*, a cura di LICISCO MAGAGNATO, 1956.
4. *Disegni veneti della collezione Janos Scholz*, a cura di MICHELANGELO MURARO, 1957.
5. *Venetian Drawings from the Collection Janos Scholz*, by MICHELANGELO MURARO, 1957.

6. *Disegni veneti di Oxford*, a cura di K. T. PARKER, 1958.
7. *Disegni veneti in Polonia*, a cura di MARIA MROZINSKA, 1958.
8. *I disegni del Codice Bonola del Museo di Varsavia*, a cura di MARIA MROZINSKA, 1959.
9. *Disegni veneti del Settecento nella collezione Paul Wallraf*, a cura di ANTONIO MORASSI, 1959.
10. *Disegni e dipinti di Giovanni Antonio Pellegrini*, a cura di ALESSANDRO BETTAGNO, 1959.
11. *Miniature indiane dal XV al XIX secolo*, a cura di ROBERT SKELTON, 1960.
12. *Pitture murali nel Veneto e tecnica dell'affresco*, 1960. Testi di: G. FIOCCO, U. PROCACCI, M. MURARO, N. IVANOFF, L. MORETTI.
13. *Indian Miniatures from the XVth to XIXth Centuries*, by ROBERT SKELTON, 1961.
14. *Disegni veneti dell'Albertina di Vienna*, a cura di OTTO BENESCH, 1961.
15. *Scenografi veneziani dell'Ottocento: Francesco Bagnara, Giuseppe e Pietro Bertoja*, a cura di GINO DAMERINI, 1962.
16. *Canaletto e Guardi*, a cura di K. T. PARKER e J. BYAM SHAW, 1962.
17. *Miniature islamiche dal XIII al XIX secolo*, a cura di E. J. GRUBE, 1962.
18. *Muslim Miniature Paintings from the XIII to XIX Century*, by E.J. GRUBE, 1962.
19. *Disegni veneti del Settecento della Fondazione Giorgio Cini e delle collezioni venete*, a cura di ALESSANDRO BETTAGNO, 1963.
20. *Disegni veneti del Museo di Leningrado*, a cura di LARISSA SALMINA, 1964.
21. *Disegni veneti del Settecento nel Museo Correr*, a cura di TERISIO PIGNATTI, 1964.
22. *Disegni veneti del Museo di Budapest*, a cura di IVAN FENYÖ, 1965.
23. *Scenografie del Museo Teatrale alla Scala dal XVI al XIX secolo*, a cura di C. E. RAVA, 1965.
24. *Disegni del Pisanello e di maestri del suo tempo*, a cura di ANNEGRIT SCHMITT, 1966.
25. *Disegni di una collezione veneziana del Settecento*, a cura di ALESSANDRO BETTAGNO, 1966.
26. *Disegni di Giacomo Quarenghi*, a cura di VANNI ZANELLA, 1967.
27. *Scenografie di Pietro Gonzaga*, a cura di MARIA TERESA MURARO, 1967.
28. *Miniature italiane della Fondazione Giorgio Cini dal Medioevo al Rinascimento*, a cura di PIETRO e ILARIA TOESCA, 1968.
29. *Caricature di Anton Maria Zanetti*, a cura di ALESSANDRO BETTAGNO, 1969.
30. *Disegni teatrali di Inigo Jones*, a cura di ROY STRONG e con una presentazione di GIANFRANCO FOLENA, 1969.
31. *Disegni teatrali dei Bibiena*, a cura di MARIA TERESA MURARO e ELENA POVOLEDO e con una presentazione di GIANFRANCO FOLENA, 1970.
32. *Disegni veronesi del Cinquecento*, a cura di TERENCE MULLALY, 1971.
33. *Le dessin vénitien au XVIII° siècle*, par ALESSANDRO BETTAGNO, 1971.
34. *Venetian Drawings of the Eighteenth Century*, by ALESSANDRO BETTAGNO, 1972.
35. *G. B. Cavalcaselle. Disegni da antichi maestri*, a cura di LINO MORETTI, 1973.

36. *Disegni veneti del Museo di Stoccolma*, a cura di PER BJURSTRÖM, 1974.
37. *Illusione e pratica teatrale*, a cura di FRANCO MANCINI, MARIA TERESA MURARO e ELENA POVOLEDO, 1975.
38. *Disegni di Tiziano e della sua cerchia*, a cura di KONRAD OBERHUBER, 1976.
39. *Disegni di Goethe in Italia*, a cura di GERHARD FEMMEL, 1977.
40. *Italienische Miniaturen der Fondazione Giorgio Cini vom Mittelalter bis zur Renaissance*, text von PIETRO und ILARIA TOESCA, 1977.
41. *Disegni di Giambattista Piranesi*, a cura di ALESSANDRO BETTAGNO, 1978.
42. *Disegni veneti dell'Ambrosiana*, a cura di UGO RUGGERI, 1979.
43. *Disegni veneti di collezioni inglesi*, a cura di JULIEN STOCK, 1980
44. *Disegni veneti della collezione Lugt*, a cura di J. BYAM SHAW, 1981.

STAMPE VENETE
Editore Neri Pozza, Vicenza

1. *Tiziano e la silografia veneziana del Cinquecento*, a cura di MICHELANGELO MURARO e DAVID ROSAND, 1976.
2. *Piranesi. Incisioni - Rami - Legature - Architetture*, a cura di ALESSANDRO BETTAGNO, 1978.

CATALOGHI DI RACCOLTE D'ARTE
Editore Neri Pozza, Vicenza

1. Il Museo Correr di Venezia. *Dipinti dal XIV al XVI secolo*, a cura di GIOVANNI MARIACHER, 1957.
2. Il Museo Civico di Padova. *Dipinti e sculture dal XIV al XIX secolo*, a cura di LUCIO GROSSATO, 1957.
3. La Gipsoteca di Possagno. *Sculture e dipinti di Antonio Canova*, a cura di ELENA BASSI, 1957.
4. Il Museo Civico di Bassano. *I disegni di Antonio Canova*, a cura di ELENA BASSI, 1959.
5. La Galleria dell'Accademia di Ravenna. *Dipinti dal XIV al XVIII secolo*, a cura di ALBERTO MARTINI, 1959.
6. Il Museo Correr di Venezia. *Dipinti dal XVII al XVIII secolo*, a cura di TERISIO PIGNATTI, 1960.
7. Il Museo Civico di Vicenza. *Dipinti e sculture dal XIV al XV secolo*, a cura di FRANCO BARBIERI, 1962.
8. Il Museo Civico di Vicenza. *Dipinti e sculture dal XVI al XVIII secolo*, a cura di FRANCO BARBIERI, 1962.
9. Il Museo Civico di Treviso. *Dipinti e sculture dal XII al XIX secolo*, a cura di LUIGI MENEGAZZI, 1964.
10. Il Museo Civico di Bassano del Grappa. *Dipinti dal XIV al XIX secolo*, a cura di LICISCO MAGAGNATO e BRUNO PASSAMANI, 1978.
11. *Miniature dell'Italia settentrionale nella Fondazione Giorgio Cini*, I parte, a cura di GIORDANA MARIANI CANOVA, 1978.
12. *Catalogo della Pinacoteca della Fondazione Scientifica Querini-Stampalia di Venezia*, a cura di MANLIO DAZZI e ETTORE MERKEL, 1979.

13. *Disegni antichi del Museo Correr di Venezia*, vol. I, a cura di Terisio Pignatti, 1980.

14. *L'armeria del Castello di Monselice*, a cura di John Hayward, 1981.

INDICI FOTOGRAFICI

Ed. Neri Pozza. Esclusività di vendita: Fratelli Alinari, S.p.A. I. D. E. A., Firenze.

1. *Indice fotografico delle opere d'arte della città e della provincia di Belluno*, a cura di Francesco Valcanover, 1960.

2. *Indice fotografico delle opere d'arte della città e del mandamento di Castelfranco Veneto*, a cura di Giampaolo Bordignon Favero, 1961.

3. *Indice fotografico delle opere d'arte della città e del mandamento di Bassano*, a cura di Gino Barioli, 1961.

4. *Indice fotografico delle opere d'arte della città e della provincia di Treviso*, a cura di Luigi Menegazzi (in corso di stampa).

5. *Indice fotografico delle opere d'arte esposte a Mostre Veneziane (1935-1941)*, a cura di Valentino Crivellato, 1963.

6. *Indice fotografico delle opere d'arte esposte a Mostre Veneziane (1945-1953)*, a cura di Guido Perocco, 1964.

ENCICLOPEDIA DELLO SPETTACOLO

Fondata da Silvio D'Amico, Editrice « Le Maschere », Roma, Voll. 11. Esclusività di vendita SIAE.

ENCICLOPEDIA FILOSOFICA

Diretta da Felice Battaglia. Carlo Giacon, Augusto Guzzo, Umberto A. Padovani, Michele F. Sciacca, Luigi Stefanini.

Editore Istituto per la Collaborazione Culturale, Venezia-Roma. Voll. 4, 1957 (esaurita).

Editore Sansoni, Firenze. Voll. 6, 1967 (2ª edizione), in vendita presso le agenzie UTET.

ENCICLOPEDIA UNIVERSALE DELL'ARTE

Diretta da Massimo Pallottino.

Editore Istituto per la Collaborazione Culturale. Venezia-Roma. Voll. 15 (L'ultimo volume contiene gli indici). La 2ª edizione (1970) è in vendita presso EDIPEM

LE CIVILTÀ DELL'ORIENTE

Opera diretta da Giuseppe Tucci.
Editore Casini, Firenze.
Vol. 1. *Storia*, 1956, Vol. 2. *Letteratura*, 1957, Vol. 3. *Religioni, Filosofia, Scienze*, 1959, Vol. 4. *Arte*, 1962.

2. ANNEMARIE SCHIMMEL, *Aspetti spirituali dell'Islam*, 1961.
— Edizione inglese, 1963.

3. LOUIS DUMONT, *La civiltà indiana e noi*, 1965.

* 4. GIORGIO R. CASTELLINO, *Le civiltà mesopotamiche*, 1962.

5. SIEGFRIED LIENHARD, *Dal Sancrito all'Hindi* — *Il Nevari*, 1963.

IL MAPPAMONDO DI FRA' MAURO, a cura di TULLIA GASPARRINI LEPORACE, 1956.

Istituto Poligrafico dello Stato.
(Edizione in collaborazione con il Comune di Venezia).

CARICATURE DI ANTON MARIA ZANETTI, a cura di Alessandro Bettagno, 1970.

Edizione speciale della Pirelli S.p.A. con la collaborazione della Fondazione Giorgio Cini.

ANGELO POLIZIANO, MISCELLANEORUM CENTURIA SECUNDA, edizione critica a cura di VITTORE BRANCA e MANLIO PASTORE STOCCHI, voll. 4 con facsimile completo dell'autografo, 1972.
Editore: Fratelli Alinari, S.p.A. I.D.E.A., Firenze.

BEATO PAOLO GIUSTINIANI. TRATTATI LETTERE E FRAMMENTI DAI MANOSCRITTI ORIGINALI DELL'ARCHIVIO DEI CAMALDOLESI DI MONTE CORONA NELL'EREMO DI FRASCATI.
Ediz. di Storia e Letteratura, Roma.

1. *I manoscritti originali custoditi nell'Eremo di Frascati*, a cura di EUGENIO MASSA, 1967.

2. *I primi trattati dell'amore di Dio*, a cura di EUGENIO MASSA, 1974.

OPERE DI DANTE

Edizione migliorata nel testo e largamente commentata, diretta da Vittore Branca, Francesco Maggini, Bruno Nardi.
Editore Le Monnier, Firenze.

Il Convivio, 2 volumi, a cura di GIOVANNI BUSNELLI e GIUSEPPE VANDELLI, 1954.
Nuova edizione a cura di ANTONIO ENZO QUAGLIO, 1964.

De Vulgari Eloquentia, a cura di ARISTIDE MARIGO, 1954. Nuova edizione a cura di PIER GIORGIO RICCI, 1957.

Rime, Volume 1, a cura di MICHELE BARBI e FRANCESCO MAGGINI, 1956.

Rime, Volume 2, a cura di MICHELE BARBI e VINCENZO PERNICONE, 1969.

De situ et forma aque et terre, a cura di GIORGIO PADOAN, 1967.

La Divina Commedia (Inferno), a cura di GIORGIO PADOAN (in corso di stampa).

---

* *Volume distrutto nell'inondazione di Firenze del 4 nov. 1966. Ne è prevista la ristampa, per cui si accettano prenotazioni.*

LE MILLENAIRE DU MONT ATHOS: *963-1963* (Etudes et Mélanges II), 1965.

Editions de Chevetogne, Belgique.
(Edizione in collaborazione con la Fondazione Giorgio Cini. Esclusività di vendita: Editions de Chevetogne).

LA VOCE DI SAN GIORGIO
Editrice Radio Televisione Italiana, Torino.

1. Francesco Carnelutti, *Il canto del grillo*, 1955.
2. Francesco Carnelutti, *Il sole si leva al tramonto*, 1956.
3. Francesco Carnelutti, *Le miserie del processo penale*, 1957.
4. Francesco Carnelutti, *Il segreto della vita*, 1959.
5. Francesco Carnelutti, *Vita di avvocato*, 1961.

COLLANA DI MUSICHE VENEZIANE INEDITE O RARE
Edizioni Ricordi, Milano. Collana già diretta da G. Francesco Malipiero.

1. Autori vari del secolo XVI, *I diporti della villa in ogni stagione*, 1962. Ristampa 1969.
2. Giovanni Matteo Asola, *Missa Regina Coeli*, 1963.
3. Joseffo Zarlino, *Nove madrigali a cinque voci*, 1963.
4. Adriano Willaert e i suoi discendenti, *Nove madrigali a cinque voci*, 1963.
5. Giovanni Battista Bassani, *Cantate a voce sola*, 1963.
6. Baldassare Galuppi, *Passatempo al cembalo*, 1964.
7. Antonfrancesco Doni, *Dialogo della musica*, 1965.
8. Antonio Gardano, *Canzoni francesi*, 1973.

STUDI DI MUSICA VENETA
Editore Leo S. Olschki, Firenze.

1. P. Petrobelli, *Giuseppe Tartini. Le fonti biografiche*, 1968.
2. L. Lockwood, *The Counter-Reformation and the Masses of Vincenzo Ruffo*, 1970.
3. R. Lunelli, *Studi e documenti di storia organaria veneta*, 1973.
4. *Omaggio a Malipiero*, a cura di Mario Messinis, 1977.
5. *Venezia e il Melodramma nel Seicento*, a cura di Maria Teresa Muraro, 1976.
6. *Venezia e il Melodramma nel Settecento*, I parte, a cura di Maria Teresa Muraro, 1978.
7. *Venezia e il Melodramma nel Settecento*, II parte a cura di Maria Teresa Muraro (in corso di stampa).

Serie: Quaderni vivaldiani

1. *Vivaldi veneziano europeo*, a cura di Francesco Degrada, 1980.

TUTTE LE OPERE DI CLAUDIO MONTEVERDI
a cura di GIANFRANCESCO MALIPIERO.
Tomo XVII (supplemento), 1966.
Ed. Fondazione Giorgio Cini, Venezia.

OPERA OMNIA DI GIOVANNI GABRIELI. Collana già diretta da G. Francesco Malipiero. Edizioni Ricordi, Milano.

1. *Sacrae Symphoniae* - Libro primo (a 6-15 voci) messe in partitura da VIRGINIO FAGOTTO, 1969.
2. *Madrigali dal 1575 al 1598,* a cura di VIRGINIO FAGOTTO (in preparazione).

TRATTATO GENERALE DI CANTO GREGORIANO, di P. Pellegrino Ernetti O. S. B.
Ed. Istituto per la Collaborazione Culturale, Venezia-Roma. Esclusività di vendita: Editore Leo S. Olschki, Firenze.
Vol. 1, 1960, Vol. 2, * 1961, Vol. 4, 1964. (Altri volumi in preparazione).

QUADERNI DEI PADRI BENEDETTINI DI SAN GIORGIO MAGGIORE
Ed. Istituto per la Collaborazione Culturale, Venezia-Roma. Esclusività di vendita: Editore Leo S. Olschki, Firenze.

* 1. P. PELLEGRINO M. ERNETTI, *Parola, Musica, Ritmo,* 1961.
2. P. GIUSEPPE NOCILLI, *La Messa romana, suo sviluppo nella liturgia e nel canto,* 1961.
* 3. P. PAOLO FERRETTI, *Estetica gregoriana* (Vol. II), 1964.

PUBBLICAZIONI PERIODICHE
Editore Leo S. Olschki, Firenze.

— *Saggi e Memorie di Storia dell'Arte.* Vol. 1 (1957), Vol. 2 (1958-59), Vol. 3 (1960), Vol. 4 (1965), Vol. 5 (1966), Vol. 6 (1968), Vol. 7 (1970), Vol. 8 (1972), Vol. 9 (1974), Vol. 10 (1976), Vol. 11 (1978), Vol 12 (1980).

— *Studi Veneziani* (già *Bollettino dell'Istituto di Storia della Società e dello Stato Veneziano*). Vol. I (1959), Vol. II (1960), Vol. III (1961), Vol. IV (1962). Vol. V-VI (1963-1964), Vol. VII (1965), Vol. VIII (1966), Vol. IX (1967), Vol. X (1968), Vol. XI (1969), Vol. XII (1970), Vol. XIII (1971), Vol. XIV (1972), Vol. XV (1973), Vol. XVI (1974), Vol. XVII-XVIII (1975-1976).

— *Bollettino dell'Atlante Linguistico Mediterraneo.* Vol. 1 * (1959), Vol. 2-3 * (1960-61), Vol. 4 (1962), Vol. 5-6 (1963-64), Vol. 7 (1965), Vol. 8-9 (1966-67), Vol. 10-12 (1968-70), Vol. 13-15 (1971-73).

---

* *Volume distrutto nell'inondazione di Firenze del 4 nov. 1966. Ne è prevista la ristampa, per cui si accettano prenotazioni.*

Editore Giardini, Pisa.

— *Studi Veneziani* (nuova serie). I (1977). II (1978). III (1979). IV (in corso di stampa).

— *Bollettino dell'Atlante Linguistico Mediterraneo.* Vol. 16-17 (1974-75), Vol. 18-19 (1976-77), Vol. 20 (1978), Vol. 21 (in corso di stampa).

Editore Ricordi, Milano

— *Informazioni e studi vivaldiani,* n. 1 (1980), n. 2 (in corso di stampa).

A cura dei Padri Benedettini di San Giorgio Maggiore, Venezia.

— *Jucunda Laudatio, Rassegna di musica antica.* Rivista trimestrale. Anno I (1963). Anno II (1964). Anno III (1965). Anno IV (1966). Anno V (1967). Anno VI (1968). Anno VII (1969). Anno VIII (1970). Anno IX (1971). Anno X (1972). Anno XI (1973). Anno XII-XIII (1974-75). Anno XIV-XV (1976-77). Anno XVI-XVII (1978-79).

Editore Alfieri, Edizione d'Arte, Venezia.

— *Arte Veneta. Rivista di Storia dell'Arte.* Annata XXX (1976). Annata XXXI (1977). Annata XXXII (1978). Annata XXXIII (1979). Annata XXXIV (in corso di stampa).

ATTI DEL CONCORSO DI IDEE SU OPERE DI DIFESA DALL'ACQUA ALTA NELLA LAGUNA DI VENEZIA

Venezia 1970. (Supplemento, Venezia 1971).
(Edizione in collaborazione con il CNR).

ATLANTE LINGUISTICO MEDITERRANEO

Editore Leo S. Olschki, Firenze.

— *Saggio dell'Atlante Linguistico Mediterraneo* (con annesso album di tavole), 1971.

PUBBLICAZIONI SU SAN GIORGIO E SULLA FONDAZIONE GIORGIO CINI

Fondazione Giorgio Cini, San Giorgio Maggiore, Venezia. Esclusività di vendita: Leo S. Olschki, Firenze.

NINO BARBANTINI, *La Fondazione Giorgio Cini,* 1951.

GINO DAMERINI, *L'Isola e il Cenobio di San Giorgio Maggiore,* 1956. Ristampa 1969.
Venti anni di attività della Fondazione Giorgio Cini, 1971.
FONDAZIONE GIORGIO CINI, *Annuario 1954-55,* 1956.
FONDAZIONE GIORGIO CINI, *Annuario 1956-57,* 1958.
FONDAZIONE GIORGIO CINI, *Annuario 1958-59,* 1960.
FONDAZIONE GIORGIO CINI, *Annuario 1960-61,* 1963.
FONDAZIONE GIORGIO CINI, *Annuario 1962-63,* 1964.
FONDAZIONE GIORGIO CINI, *Annuario 1964-66,* 1968.
FONDAZIONE GIORGIO CINI, *Annuario 1967-68,* 1969.